LA QUÊTE DE DELTORA

Les Montagnes Redoutables

Les Montagnes
Redoutables

Le Labyrinthe
de la Bête

Les Sables
Mouvants

La Vallée
des Égaré

LE PAYS DE

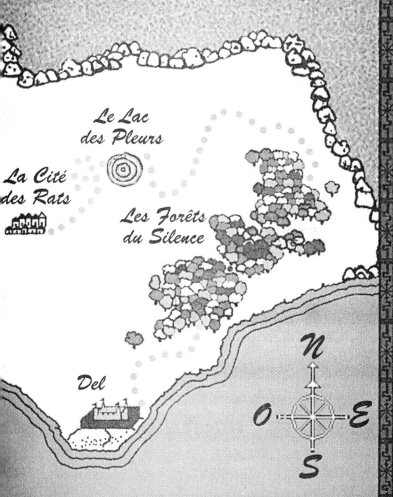

Le Pays des Ténèbres

Le Lac
des Pleurs

La Cité
des Rats

Les Forêts
du Silence

Del

N
O   E
S

DELTORA

L'auteur

Auteur australien à succès, **Emily Rodda** a publié de nombreux livres pour la jeunesse et les adultes, en particulier la célèbre série « Raven Hill Mysteries » qui lui assure un lectorat de plus en plus important. Elle a reçu plusieurs fois le prestigieux prix Children's Book Council of Australia Book of the Year Award.

La série
LA QUÊTE DE DELTORA :

LA QUÊTE DE DELTORA

Les Montagnes Redoutables

Emily Rodda

Traduit de l'australien
par Christiane Poulain

Titre original :
Deltora Quest
Book five : *Dread Mountain*

Loi no 49 956 du 16 juillet 1949 sur les publications destinées
à la jeunesse : septembre 2006

Publié pour la première fois en 2000 par Scholastic Australia Pty
Limited.
Copyright © Emily Rodda, 2000, pour le texte et le graphisme.
Graphisme de Kate Rowe.
Copyright © Marc McBride, 2000, pour les illustrations
de la couverture.
Copyright © Éditions Pocket Jeunesse, département d'Univers Poche,
2006, pour la traduction française.

Édition publiée par les Éditions Scholastic, 604, rue King Ouest,
Toronto (Ontario) M5V 1E1 CANADA
pour la traduction française

ISBN 978-0-545-98848-3

Résumé des tomes précédents

Le jeune Lief, âgé de seize ans, accomplissant une pro-messe faite par son père avant sa naissance, a entrepris une longue quête afin de retrouver les sept pierres précieuses de la Ceinture magique de Deltora. Celles-ci – une améthyste, une topaze, un diamant, un rubis, une opale, un lapis-lazuli et une émeraude – ont été dérobées pour permettre au maléfique Seigneur des Ténèbres d'envahir Deltora, puis cachées dans des endroits effrayants à travers tout le pays. On ne pourra retrouver l'héritier du trône et mettre un terme à la tyrannie du Seigneur des Ténèbres que lorsqu'elles auront été restituées à la Ceinture.

Lief a pour compagnons Barda, autrefois garde du palais, et Jasmine, une orpheline rencontrée dans les Forêts du Silence.

Au cours de leurs différents voyages, les trois amis ont découvert l'existence d'un mouvement de résistance secret, dont le chef, Doom, un homme mystérieux au visage bala-fré, les a sauvés des griffes des Gardes Gris.

Les compagnons ont désormais retrouvé quatre pierres. La topaze d'or, symbole de fidélité, a le pouvoir de mettre en contact le monde des vivants et des morts, et d'éclaircir l'esprit. Le rubis, symbole du bonheur, pâlit quand le danger menace, repousse les créatures mauvaises et est l'antidote du venin de serpent. L'opale, symbole de l'espoir, dévoile l'avenir. Quant au lapis-lazuli, la pierre céleste, c'est un puissant talisman.

À présent, pour retrouver la cinquième pierre précieuse, Lief, Barda et Jasmine cheminent vers les Montagnes Redoutables... ces montagnes légendaires qui se dressent à proximité de la frontière du Pays des Ténèbres.

1

Le refuge

La journée avait été belle et claire, rafraîchie par une brise légère. Un temps idéal pour voyager à pied. Mais la soif, l'épuisement, la peur faisaient oublier le plaisir de la marche. Lief, la tête penchée, les membres douloureux, traînait les pieds, à peine conscient de la présence de Barda et de Jasmine à ses côtés.

Depuis leur départ des Sables Mouvants, les compagnons avaient rationné l'eau, ne s'autorisant que de rares gorgées. Maintenant, leurs gourdes étaient presque vides. Et ils ne distinguaient pas la moindre rivière, pas le moindre ruisseau dans le paysage plat et brun, pas le moindre nuage dans le ciel qu'embrasaient les lueurs orangées du soleil couchant.

Lief gardait les yeux rivés au sol. Même s'il leur faudrait des semaines pour atteindre leur destination

– « à condition de ne pas mourir de soif d'ici là », se dit sombrement Lief –, la seule pensée des Montagnes Redoutables l'emplissait de frayeur. Mais songer que chacun de ses pas le rapprochait de la frontière du Pays des Ténèbres le terrifiait davantage encore.

Il ne s'était écoulé que quelques mois, au cours desquels les compagnons n'avaient pas chômé. Quatre pierres précieuses brillaient à présent à la Ceinture de Deltora que Lief dissimulait sous sa chemise. Il ne leur en restait plus que trois à trouver. Comme Jasmine, Lief aurait dû se réjouir. Hélas... il se sentait accablé de tristesse et de désespoir.

À la réflexion, en effet, il lui paraissait miraculeux d'avoir réussi à s'emparer des pierres, d'avoir survécu aux situations cauchemardesques que ses compagnons et lui avaient affrontées. La chance continuerait-elle à leur sourire ? La perspective de ce qui les attendait le paralysa soudain.

Jusque-là, ils avaient échappé à l'œil vigilant du Seigneur des Ténèbres. Mais ils n'étaient sans doute plus à l'abri, aujourd'hui. Doom, le chef balafré de la Résistance, leur avait dit que des bruits couraient sur eux. Et si Doom avait entendu des rumeurs, le Seigneur des Ténèbres en avait certainement eu vent, lui aussi. Or Lief, Barda et Jasmine cheminaient à découvert, avec Kree volant en éclaireur. Peu importait que nul ne connût leur nom – leur description suffisait.

Lief sursauta et faillit trébucher quand une forme noire lui frôla la tête de ses ailes. Mais ce n'était que Kree qui se posait sur le bras de Jasmine. L'oiseau poussa un cri rauque. Filli pointa le museau de dessous la veste de la jeune fille et poussa de petits cris avec excitation.

— Kree dit qu'il a repéré de l'eau ! s'écria Jasmine. Une petite mare – une source, peut-être, car aucun ruisseau ne l'alimente –, nichée dans un bosquet à l'écart de la route.

Aiguillonnés, les compagnons pressèrent l'allure. Kree reprit bientôt son envol pour les guider. Contournant buissons et rochers, ils parvinrent à un endroit où poussaient d'étranges arbres pâles.

Et là, au beau milieu, il y avait effectivement une flaque ronde entourée de pierres blanches. Ils y coururent avec impatience. Ils remarquèrent alors une plaque de cuivre terni, fixée à l'une des pierres, et distinguèrent à peine dans la pénombre les mots qui y étaient gravés.

SOURCE DES SONGES

BOIS, AIMABLE ÉTRANGER,
ET SOIS LE BIENVENU.
CRÉATURES DU MAL, PRENEZ GARDE.

Les compagnons hésitèrent. La source, limpide, était tentante et ils mouraient de soif. Mais la mise en garde les inquiétait. Était-il dangereux de boire cette eau ?

— Jasmine, que disent les arbres ? marmonna Barda.

Le colosse, à présent, ne doutait plus du don que possédait la jeune fille de parler aux végétaux.

Jasmine fronça les sourcils et regarda autour d'elle.

— Rien. Ils sont complètement silencieux. Je ne comprends pas.

Lief frissonna. Le bosquet, vert et paisible avec son sol tapissé d'herbe tendre, ressemblait à un petit paradis. Pourtant, un je-ne-sais-quoi de bizarre flottait dans l'air. Il passa la langue sur ses lèvres sèches.

— Ne buvons pas de cette eau, déclara-t-il à contre-cœur. Elle est peut-être enchantée... ou empoisonnée.

— Nous ne sommes pas des créatures du mal ! protesta Barda. Je suis prêt à parier que nous ne risquons rien.

Toutefois, il ne bougea pas.

Filli gazouillait impatiemment sur l'épaule de Jasmine.

— Nous sommes tous assoiffés, Filli, murmura la jeune fille. Mais nous devons attendre. Nous ne sommes pas certains que... Filli ! Non !

L'animal avait bondi à terre et filait vers la source sans se soucier des cris de Jasmine. Il inclina vivement la tête vers l'onde cristalline et but à longs traits.

— Filli ! hurla Jasmine, au désespoir.

Mais, pour une fois, Filli faisait la sourde oreille, trop heureux d'étancher sa soif.

Et il ne lui arriva rien de fâcheux.

Kree, à son tour, voleta jusqu'à la source. Lui aussi se désaltéra, ne cessant de baisser le bec et de renverser le cou en arrière. Il ne fut pas malade, lui non plus. Lief, Barda et Jasmine, n'en pouvant plus, se dépêchèrent de les rejoindre.

L'eau était fraîche et douce. Jamais Lief n'en avait bu d'aussi bonne. Elle était aussi fraîche à Del, mais avait toujours le goût métallique de la pompe.

Enfin, les compagnons emplirent leurs gourdes à ras bord, au cas où ils devraient lever précipitamment le camp durant la nuit. Le bosquet, certes, semblait être un abri sûr, mais l'expérience leur avait appris à ne pas se fier aux apparences.

Ils s'assirent sur l'herbe et mangèrent tandis que la lune montait dans le ciel parsemé d'étoiles. Malgré le froid, ils n'avaient pas voulu faire de feu. La moindre lueur, si faible soit-elle, trahirait leur présence aussi sûrement qu'un phare. Par mesure de précaution, ils s'enfoncèrent sous le couvert des arbres avant de

dérouler leurs couvertures. Peut-être des gens vien-
draient-ils à la source au cours de la nuit.

Jasmine bâilla.

— Comme nous sommes devenus prudents ! Je me
souviens que nous étions plus hardis au début de
notre voyage.

— La situation n'est plus la même, marmonna
Lief. On nous recherche, à présent.

Il frissonna.

Barda lui jeta un coup d'œil, puis regarda ailleurs
pour dissimuler son inquiétude.

— Je prends le premier tour de garde, annonça le
colosse.

Kree croassa. Jasmine sourit.

— Tu as besoin de sommeil, toi aussi. Tu es épuisé.
Tu ne peux surveiller le campement jusqu'à l'aube.
Filli, toi et moi relaierons Barda quand il nous réveil-
lera.

Elle se retourna et ferma les yeux, sa main dans la
fourrure soyeuse de Filli. À moitié endormi, Lief
observa Kree qui voletait vers une branche d'arbre
au-dessus de Jasmine. Puis, semblant se raviser, le
corbeau tournoya et revint se poser sur l'herbe. Il sautilla jusqu'à la jeune fille et s'installa près d'elle, la
tête sous une de ses ailes.

— Barda, chuchota Lief, troublé. Regarde Kree.
Pourquoi dort-il par terre au lieu de se percher sur
une branche ?

— Possible qu'il n'aime pas ces arbres, répondit le colosse. Jasmine nous a dit qu'ils étaient silencieux. Et ils sont bizarres ! As-tu remarqué qu'ils se ressemblent tous ?

Lief les examina. Barda avait raison, en effet. Cette ressemblance expliquait en partie leur étrangeté. Chacun avait le même tronc droit, trois branches identiques pointées vers le ciel, d'épaisses grappes semblables de feuilles pâles. Un frisson lui parcourut le dos.

— Lief, cesse de t'inquiéter, de grâce ! gronda Barda au bout d'un moment. Ce qui perturbe Kree ne l'empêche pas de dormir. Repose-toi ou tu t'en mordras les doigts. Ton tour de garde viendra bien assez vite.

Lentement, Lief resserra sa couverture autour de lui et s'allongea. Pendant une minute ou deux, il contempla le ciel étoilé qu'encadraient les feuilles pâles. Pas un souffle de vent ne les agitait. Aucun insecte ne crissait. Il n'y avait pas le moindre bruit, excepté la respiration légère de Jasmine.

Ses paupières s'alourdirent. Il ne chercha pas à lutter contre le sommeil. « Si Kree ne craint pas de dormir, moi non plus ! pensa-t-il. Et puis, que pourrait-il nous arriver avec Barda qui monte la garde ? »

Peu après, il était profondément endormi. Aussi ne vit-il pas la tête du colosse s'affaisser petit à petit

sur sa poitrine, pas plus qu'il n'entendit ses ronfle-
ments.

Il ne perçut pas non plus les va-et-vient furtifs des
habitants du bosquet qui se rendaient à pas feutrés à
la Source des Songes.

2

Avant l'aube

Lief rêvait. Son rêve semblait très réel. Il se tenait près de la vieille pompe, dans la cour sombre et déserte de la forge. « C'est la nuit, pensa-t-il. Ma mère et mon père sont rentrés, à l'heure qu'il est. » Mais la maison était obscure, elle aussi. Il appela ses parents depuis le seuil de la porte, puis de la cuisine. Ni l'un ni l'autre ne lui répondit.

Perplexe, il entra sans s'inquiéter outre mesure dans la salle de séjour, qu'illuminait la pleine lune. Curieusement, les rideaux de la fenêtre n'avaient pas été tirés. Et des objets jonchaient le sol – des livres et des papiers, éparpillés partout. Jamais ses parents n'auraient laissé pareille pagaille.

Leur chambre était vide, le lit, en désordre ; les draps et les couvertures gisaient par terre. Lief remarqua un vase de fleurs fanées sur la commode. Il comprit alors qu'il était arrivé quelque chose. Craignant le pire, il ressortit de la maison en courant. La lune éclairait la cour sans vie. La porte de la forge oscillait sur ses gonds. Il y avait une marque dessus. Lief la distinguait à peine. Il s'approcha, le cœur battant. Puis il la vit.

Lief se réveilla en sursaut, le front baigné de sueur, haletant, les mains tremblantes. « Ce n'est qu'un rêve, se dit-il. Il n'y a pas lieu d'avoir peur. »

Peu à peu, il s'aperçut que les étoiles s'estompaient dans le ciel pâlissant. L'aube n'allait pas tarder à poindre. Il avait dormi toute la nuit. Jasmine, qui avait pris le deuxième tour de garde, n'aurait quand même pas oublié de le réveiller ?

Il jeta un coup d'œil à l'endroit où la jeune fille s'était installée la veille. Elle y était toujours, le souffle paisible et régulier, Kree blotti près d'elle. Et, à quelques pas, adossé à un arbre, la tête sur la poitrine, Barda dormait à poings fermés, lui aussi.

Lief faillit éclater de rire. Ainsi, en dépit de leurs plans raisonnables, tous avaient succombé au sommeil. C'était sans doute aussi bien. Ils avaient besoin de récupérer et rien, apparemment, n'était venu troubler leur repos.

Mourant de soif, Lief s'extirpa sans bruit de sa couverture et se dirigea vers la source. Ses pieds nus étaient parfaitement silencieux sur l'herbe tendre. Il nota un autre phénomène étrange à propos des arbres – ils ne perdaient ni feuilles ni rameaux.

Il avait presque atteint la source quand il entendit un léger clapotis. Quelqu'un – ou quelque chose – était en train de boire.

Il porta la main à son épée et s'arrêta, prêt à réveiller Barda et Jasmine. Puis il se ravisa. Autant vérifier d'abord quelle créature avait pénétré dans le bosquet. Retenant sa respiration, il se coula derrière le dernier arbre et regarda.

Une silhouette penchée lapait l'eau. Un animal, sans doute, de la taille d'un grand chien, mais très dodu. Lief plissa les yeux, pour le voir plus nettement dans la faible lumière. La créature, couleur châtaigne, semblait dépourvue de fourrure. Elle avait de petites oreilles plantées au ras de la tête, des pattes postérieures grosses et courtes, des pattes antérieures minces. Plissée et ridée, la peau de son dos et de ses flancs était bizarrement tachetée.

Quel animal était-ce là ?

Lief s'avança d'un pas. Au même instant, la créature se redressa, pivota et l'aperçut.

À la vue de ses immenses yeux noirs étonnés, de ses moustaches raidies d'épouvante, de sa gueule rose béante et de ses pattes de devant jointes sous l'effet de la peur, Lief se sentit envahi d'un étrange sentiment de plaisir et de paix. Sans comprendre pourquoi, il était sûr d'une chose : cette créature était inoffensive, douce et terriblement effrayée.

— Ne crains rien, dit-il d'une voix basse et apaisante. Je ne te veux aucun mal.

La créature l'observait toujours. Lief, toutefois, constata que la curiosité l'emportait sur la peur.

— Je ne te veux aucun mal, répéta-t-il. Je suis un ami.

— Quel est ton nom ? demanda la créature d'une voix aiguë.

Lief tressaillit violemment. Il n'avait pas imaginé une seconde que l'animal parlait.

— Lief, répliqua-t-il sans réfléchir.

— Je m'appelle Petite... euh, Prin, fille des Kin, déclara la créature.

Elle se mit debout et marcha vers Lief en se dandinant, ses pattes courtes progressant avec peine sur l'herbe, ses pattes antérieures repliées, sa gueule relevée sur un sourire doux et plein d'espoir.

Lief en resta bouche bée, submergé par des vagues de souvenirs. Il ne s'étonnait plus d'avoir éprouvé ce sentiment de paix en voyant Prin. Comment n'avait-il pas compris plus tôt qui elle était ?

Les Kin ! Ces légendaires créatures volantes que connaissaient tous les enfants de Del. Dès le berceau, Lief avait eu une poupée Kin, Monty, avec laquelle il dormait. Sa mère l'avait faite dans un bout de tissu marron qu'elle avait bourré de paille. Au fil des années, Monty s'était effilochée, puis éventrée. Elle était rangée à présent dans un tiroir, avec d'autres trésors. Mais autrefois, elle avait été sa confidente, qu'il emmenait partout. Combien de fois, à l'époque, Lief n'avait-il pas souhaité que Monty s'éveille à la vie ?

Et la créature qui lui faisait face aurait pu être ce vœu exaucé. Elle aurait pu être Monty venant à sa rencontre dans l'herbe du bosquet. Pourtant, ne lui avait-on pas dit que les gentils Kin avaient disparu voilà bien longtemps ? Qu'ils n'existaient plus que dans les anciens contes et les livres d'images ?

Lief déglutit et, un bref instant, il se demanda s'il rêvait encore. Mais Prin se tenait devant lui, en chair et en os. Il se rendit compte qu'elle avait de la fourrure – un duvet soyeux comme une fine mousse

21

marron, qui couvrait également ses ailes repliées. Il eut envie de les caresser, histoire de vérifier si elles étaient aussi veloutées qu'elles en avaient l'air.

Prin agita ses moustaches et sautilla.

— Veux-tu jouer avec moi, Lief ? Veux-tu jouer à cache-cache ?

Lief comprit soudain qu'elle était très jeune. D'ailleurs, dressée de toute sa hauteur, elle ne lui arrivait qu'à l'épaule. Jadis, les Kin adultes étaient si grands que, en les apercevant dans le ciel, les gens les confondaient parfois avec des dragons et tentaient de les abattre.

Lief regarda autour de lui.

— Où sont les tiens ? Ne devrais-tu pas leur demander la permission de...

— Ils rêvent encore ! rétorqua Prin avec mépris. Ils se réveilleront bien après le lever du soleil. Tu vois ?

De la patte, elle indiqua ce que Lief avait pris pour des amas de gros rochers disséminés entre les arbres et au-delà. Stupéfait, il se rendit compte que c'étaient des Kin roulés en boule, si bien pelotonnés qu'on n'apercevait que leur dos.

— Je suis censée rester couchée en rond jusqu'à leur réveil, expliqua Prin en baissant la voix. Mais c'est injuste ! Je n'ai rien d'intéressant à quoi rêver. Je préférerais jouer. Bon... tu te caches et je chante.

Je ne tricherai pas, promis ! Je chanterai lentement et je fermerai les oreilles et les yeux. Prêt ? Vas-y !

Elle posa les pattes sur ses yeux et se mit à chanter.

— « Tu auras beau te cacher, je te trouverai / De mon œil perçant, je te débusquerai... »

Les enfants Kin, manifestement, chantaient au lieu de compter. Ne voulant pas la décevoir, Lief fila se dissimuler derrière un arbre dans la partie la plus touffue du bosquet.

La cachette n'était pas fameuse, mais il ne tenait pas à s'éloigner de l'endroit où dormaient Jasmine et Barda. Et il prouverait ainsi sa bonne volonté à la petite Kin.

S'aplatissant contre le tronc, il sourit quand il entendit la voix de Prin monter vers les aigus à la fin de la chanson.

— « Tu auras beau te cacher, je te trouverai / Si tu bats des ailes, comme un rat tu es fait / Cache-toi donc, je te trouverai / De mon œil perçant, je te... » Oh !

La chanson s'interrompit sur un glapissement étranglé. Puis un rire discordant retentit.

— Je l'ai ! hurla une voix. Holà, aide-moi ! Elle résiste !

Horrifié, Lief se coula hors de son abri et jeta un regard vers la source. Deux Gardes Gris se penchaient sur un ballot se débattant sur le sol – Prin.

Ils lui avaient lancé une veste sur la tête et la ligo-taient avec une corde.

— Donne-lui un bon coup de pied, Carn 4, grogna le second Garde. Ça lui apprendra.

Lief étouffa un cri quand Carn 4 obéit. Le ballot ne bougea plus.

3

Malveillance

L ief avança d'un pas, puis tressaillit quand une main lui agrippa le bras. C'était Barda, les yeux gonflés de sommeil. Jasmine apparut derrière lui.

— Viens, Lief, souffla le colosse. Les Gardes vont se reposer et manger. Nous serons loin quand ils seront prêts à reprendre leur route.

Lief secoua violemment la tête, les yeux toujours fixés sur les silhouettes près de la source.

— Non, siffla-t-il. Je ne peux pas les laisser tuer mon amie.

Barda et Jasmine se regardèrent. Ils devaient penser qu'il avait perdu l'esprit.

— Je n'ai pas le temps de vous expliquer. Où sont les ampoules ? Allez les chercher !

Sans un mot, Jasmine disparut comme une ombre sous les arbres. Même si elle le croyait fou, **elle ne** voulait pas que Lief affronte les Gardes Gris avec son épée pour toute protection.

Suivi de Barda, Lief courut d'arbre en arbre pour se rapprocher de l'endroit où gisait Prin.

— Du cochon pour le petit déjeuner ! claironna Carn 4. Quel luxe !

— Ce n'est pas un cochon, rétorqua l'autre Garde. Regarde ses pieds.

— Bah, peu importe ! Il est dodu et sera bon à manger.

Carn 4 se releva et se dirigea vers la source. Il ôta le bouchon de sa gourde et inclina celle-ci pour montrer qu'elle était vide.

— Nous avons flairé cette eau juste temps, Carn 5 ! cria-t-il.

Barda haleta.

— Ce sont des membres du Carn, souffla-t-il. Comme...

— Je sais, chuchota Lief. Comme les Gardes qui nous ont arrêtés à Rithmere.

Sa main était moite sur la poignée de son épée. Carn 4 et Carn 5 savaient-ils – ou avaient-ils deviné – ce qui était arrivé à leurs frères dans les Sables Mouvants ? Avaient-ils remplacé Carn 2 et Carn 8 afin de sauver leur clan du déshonneur ?

Carn 5 rejoignit son collègue à grandes enjambées, se frottant le nez du dos de la main.

— Cet endroit pullule de moucherons, rouspéta-t-il.

Lief retint son souffle.

— Pas les nôtres, en tout cas. (Carn 4 se pencha pour emplir sa gourde.) Les deux nôtres et leur ami ont taillé la route. Le gros affreux – celui qu'ils appellent Glock –, il traîne les pieds. Tu sens chacun de ses pas. Il n'est pas venu ici.

Le cœur de Lief battait à se rompre. Ainsi, Doom avait libéré Glock et Neridah, comme il l'avait prévu. Carn 4 et Carn 5 avaient dû s'emparer des deux costauds. Et maintenant, ils les pourchassaient de la même façon que Carn 2 et Carn 8 avaient traqué les trois compagnons après leur fuite.

Les Gardes se tenaient face à la source. C'était le moment ou jamais de tenter d'emmener Prin. Lief regarda par-dessus son épaule avec impatience. Où était Jasmine avec les ampoules ?

Carn 5 s'agenouilla près de Carn 4 et plongea sa gourde dans l'eau.

— Nous les aurons à la tombée du jour, affirma-t-il. Ainsi que l'homme qui les a libérés. Ah ! Nous lui ferons regretter d'être né, pas vrai ?

— Nous nous amuserons bien avec lui, acquiesça l'autre.

Les deux Gardes se penchèrent et aspirèrent l'eau avec bruit.

Lief ne pouvait plus attendre. Il ne devait pas laisser passer l'occasion. Ignorant la main de Barda sur son bras, il s'élança à découvert, saisit le ballot flasque qui était Prin et entreprit de le traîner vers les arbres.

Après coup, il maudit son étourderie. Il avait cru la petite Kin privée de connaissance. Or Prin, bien que paralysée par la peur, était tout à fait consciente. Quand elle sentit des mains la saisir, elle glapit de terreur.

Aussitôt, les Gardes se redressèrent et pivotèrent, la bouche pleine d'eau, tenant déjà leurs ampoules et leurs frondes dans leurs mains ruisselantes. Poussant des grondements féroces, ils se ruèrent sur Lief.

— Lief, sauve-toi ! cria Barda en l'écartant d'une bourrade.

Mais le garçon, cloué sur place, restait bouche bée sous l'effet du choc.

Car les Gardes Gris hurlaient. Titubaient. S'arrêtaient. Leurs pieds se transformaient en racines, qui s'enfonçaient dans la terre, les immobilisant. Leurs jambes se soudaient l'une à l'autre, se durcissant en un tronc solide. Leurs corps, leurs bras et leur cou s'étiraient vers le ciel et des feuilles pâles se frayaient un chemin à travers leur peau qui se métamorphosait en écorce lisse.

Et en un clin d'œil, deux arbres se dressèrent à l'endroit où ils s'étaient tenus. Deux nouveaux arbres pour le bosquet – aussi silencieux, immobiles et parfaits que les autres.

Jasmine arriva en courant. Filli, terrorisé, gazouillait à qui mieux mieux sur son épaule.

— Les rochers prennent vie ! haleta-t-elle. Ils fondent droit sur nous !

❋

Une demi-heure plus tard, encore hébétés, Lief, Barda et Jasmine étaient assis au milieu d'un groupe d'énormes Kin. Filli, les yeux écarquillés, contemplait les imposantes créatures. Prin, malgré ses protestations, avait dû grimper dans la poche de sa mère.

— Tu dois rester en boule jusqu'à notre réveil, Petite ! la réprimanda sa mère. Combien de fois devrai-je te le répéter ? Regarde ce qui est arrivé. Ces êtres malfaisants auraient pu te tuer !

— Ils ont bu de l'eau, Mère, lâcha Prin d'un ton boudeur. J'étais certaine qu'ils le feraient.

— Mais ils auraient pu d'abord t'égorger ! riposta sa mère sèchement. Tais-toi, maintenant ! Tu as le flanc couvert de bleus.

— Nous aussi avons bu de l'eau ! s'exclama Barda, abasourdi.

Prin sortit la tête de la poche maternelle et agita ses moustaches.

— Ceux qui n'ont pas d'intentions malveillantes ne risquent rien, récita-t-elle, répétant visiblement une leçon bien apprise.

Sa mère se tourna vers Barda.

— Nous avons compris que vous aviez le cœur pur quand vous avez bu à la source sans dommage. Certains que vous ne représentiez aucun danger pour nous, nous avons rêvé paisiblement cette nuit... à mille lieues d'imaginer que notre enfant vous mettrait en péril à l'aube. Nous sommes navrés.

Barda s'inclina et désigna Lief.

— C'est mon ami qui a porté secours à Prin. En ce qui me concerne, je suis très honoré de faire votre connaissance. Je n'aurais jamais pensé rencontrer un jour des Kin.

— Nous ne sommes guère nombreux, à présent, déclara un vieux Kin. Depuis que nous avons quitté nos Montagnes...

— Les Montagnes Redoutables ! C'est là que vous viviez autrefois, n'est-ce pas ? Pourquoi en êtes-vous partis ? l'interrompit Lief, incapable de tenir sa langue plus longtemps.

L'ancien, surpris, regarda Barda. Le colosse sourit.

— Comme vous le voyez, j'ai moi aussi des jeunes sous ma responsabilité, déclara-t-il. Veuillez pardonner cette interruption et poursuivre votre récit.

— De tout temps, reprit l'ancien, les gnomes des Montagnes Redoutables ont essayé de nous chasser de notre territoire. Mais nous ne craignions guère leurs flèches. Nous redoutions surtout les Gardes Gris et les Vraal venus du Pays des Ténèbres. Or, voilà bien longtemps, les choses changèrent...

Sa voix s'estompa et il courba la tête.

— Les gnomes se mirent à enduire leurs flèches de poison, continua la mère de Prin. C'était un poison foudroyant. Nombre d'entre nous périrent dans d'atroces souffrances. (Sa voix se fit murmure.) C'était une époque terrible. J'étais gamine alors. Mais je m'en souviens.

Les autres Kin hochèrent le menton et chuchotèrent. À l'évidence, ils n'avaient pas oublié, eux non plus.

— Pour finir, gronda l'ancien, les rares survivants décidèrent de quitter les Montagnes Redoutables. Ce bosquet était l'endroit où nous passions l'hiver – un lieu idéal pour nos jeunes. Désormais, nous y vivons en permanence. Nous ne rendons plus visite à nos Montagnes – avec leurs arbres Boolong, leurs rivières gazouillantes, leur air doux et pur – que dans nos rêves.

Les Kin, accablés de chagrin, demeurèrent silencieux. Jasmine gigota, mal à l'aise.

— J'ai fait cette nuit un rêve étrange, déclara-t-elle, cherchant manifestement à remonter le moral des troupes. J'ai vu Doom. Il se trouvait dans une grotte pleine de gens. Il y avait Dain, Neridah et Glock, ainsi qu'un tas d'autres personnes. Glock mangeait de la soupe, il lui en dégoulinait plein sur le menton. Je les ai appelés, mais ils ne m'ont pas entendue. La scène paraissait pourtant si réelle !

— Ne comprenez-vous pas ? dit le vieux Kin en la dévisageant. Elle était bel et bien réelle. (Il agita la patte en direction de la source.) C'est à cause de la Source des Songes. Si vous pensez à quelqu'un ou à quelque chose quand vous buvez son eau, vous les visiterez en esprit dans votre sommeil.

Jasmine parut sceptique.

— Nous-mêmes visitons nos Montagnes chaque nuit, ajouta la mère de Prin, et cela nous est d'un grand réconfort. Les arbres Boolong prolifèrent, beaucoup plus qu'autrefois. Certes, nous ne pouvons plus en manger les cônes, mais du moins sommes-nous de nouveau chez nous, et tous ensemble.

— Sauf moi ! brailla Prin. Je ne peux pas y aller parce que je ne les ai jamais vues ! Je n'ai pas connu d'autre lieu que ce bosquet. Je n'ai rien à quoi rêver. Ce n'est pas juste !

Sa mère se pencha et lui murmura quelques paroles apaisantes. Les autres Kin se regardèrent avec tristesse.

— Ce que j'ai vu dans mon rêve était *réel* ? souffla Jasmine.

— Doom, Neridah et Glock ont donc rejoint la forteresse sains et saufs ! s'exclama Barda. (Il contempla avec satisfaction les deux nouveaux arbres près de la source.) Et aucun Garde Gris ne les embêtera plus. (Il sourit.) Moi, j'ai rêvé de Manus et du peuple des Ralad. J'étais au bord de la rivière, dans leur ville souterraine. Ils chantaient, et tout allait bien. Voilà une bonne nouvelle !

Lief demeura silencieux, engourdi par le choc. Il se remémorait le rêve qu'il avait fait et assimilait peu à peu cette vérité : lui aussi avait été réel.

4

Le plan

L a réunion s'acheva quand les Kin s'éloignèrent pour aller brouter l'herbe du bosquet.

— C'est tout ce que nous avons, expliqua la mère de Prin aux trois compagnons. Cette herbe est nourrissante, mais nous sommes fatigués de son goût sucré. Ah, que les feuilles et les cônes des Boolongs nous manquent ! Les feuilles de ces arbres-là ne sont pas comestibles. Elles ne sont pas vraiment vivantes.

Kree, perché sur l'épaule de Jasmine, croassa de dégoût.

— Kree a compris tout de suite que ces arbres n'étaient pas normaux, déclara Jasmine. (Elle frissonna en regardant autour d'elle.) Pas étonnant qu'ils soient silencieux. Quelle horreur de penser qu'ils resteront tels qu'ils sont au fil des siècles !

— Encore heureux que nous ayons passé avec succès l'épreuve de la source, intervint Barda, lugubre. Sinon, nous leur aurions tenu compagnie.

Quand le dernier Kin eut pris congé, Jasmine se tourna vers un Lief inhabituellement peu loquace.

— Qu'est-ce qui te tracasse ? demanda-t-elle. Tout va bien.

— Tout va bien ? marmonna Lief. Je ne dirais pas ça. Ma mère et mon père...

Il s'interrompit et déglutit pour retenir ses larmes.

— Jarred et Anna ? s'exclama Barda, soudain alarmé. Qu'est-ce que tu as... (Tout à coup, l'effroi se peignit sur son visage. Il avait compris.) Tu les as vus en rêve ! Lief...

Le garçon hocha le menton avec lenteur.

— La forge est déserte, déclara-t-il à voix basse. Il y a la marque du Seigneur des Ténèbres sur la porte. Je crois... je crois qu'ils sont morts.

Choqué, accablé de douleur, Barda le dévisagea farouchement. Puis sa bouche se raffermit.

— Mais non ! se récria-t-il. Ils sont probablement emprisonnés, voilà tout. Gardons espoir.

— Être prisonnier du Seigneur des Ténèbres est pire que la mort, chuchota Lief. Père me l'a dit et répété. Il me mettait sans cesse en garde...

Les mots s'étranglèrent dans sa gorge et il se couvrit le visage de ses mains.

Avec maladresse, Jasmine l'enlaça et Filli sauta sur son épaule, lui caressant la joue de sa fourrure soyeuse. Kree gloussa tristement. Barda, lui, resta à l'écart, s'efforçant de réprimer sa peur et son chagrin.

Enfin, Lief leva les yeux. Il était très pâle.

— Je dois rentrer.

Barda secoua la tête.

— Non.

— Si ! insista Lief avec colère. Comment pourrais-je poursuivre notre voyage en sachant ce que je sais ?

— Tu ne sais rien, hormis que la forge est déserte, répliqua Barda d'une voix égale. Jarred et Anna pourraient être dans le donjon du palais de Del. Ou au Pays des Ténèbres. Ou se terrer quelque part. Ou, comme tu viens de le dire, ils pourraient être morts. Où qu'ils soient, tu ne peux pas leur venir en aide, Lief. Ton devoir est ici.

— Ne me parle pas de devoir ! hurla Lief. Ce sont mes parents !

— Ce sont mes amis, répliqua Barda de cette même voix monocorde. Mes seuls amis, et des amis très chers, Lief, depuis avant ta naissance. Je sais ce qu'ils te diraient s'ils en avaient la possibilité. Ils te diraient que notre quête est également la leur et te supplieraient de ne pas y renoncer.

La colère de Lief s'apaisa, cédant la place à la tristesse. Le garçon scruta le visage de Barda et décela la douleur derrière le masque sévère.

— Tu as raison, marmonna-t-il. Je regrette.

Barda posa la main sur son épaule.

— Une chose est claire. Notre gestion du temps est primordiale. Nous devons atteindre les Montagnes Redoutables au plus tôt.

— Je ne pense pas que nous puissions aller plus vite que nous ne l'avons fait jusqu'ici, intervint Jasmine.

— À pied, en effet, acquiesça Barda. Mais j'ai un plan. (Malgré son chagrin, il réussit à esquisser un pauvre sourire.) Pourquoi les Kin rêveraient-ils de leur foyer au lieu de le voir de leurs propres yeux ? Pourquoi devrions-nous marcher quand nous pouvons voler ?

❋

Barda parla aux Kin un très long moment. Il sut se montrer persuasif. Toutefois, ce ne fut pas avant le coucher du soleil que trois d'entre eux acceptèrent finalement de transporter les compagnons jusqu'aux Montagnes Redoutables.

C'étaient des femelles – seules, en effet, les femelles avaient des poches – et elles comptaient parmi les membres les plus grands de leur peuple.

Elles se laissèrent convaincre pour diverses raisons : Merin parce qu'elle souffrait du mal du pays ; Ailsa, par goût de l'aventure et Bruna parce qu'elle estimait que les Kin avaient une dette envers Lief pour avoir sauvé Prin.

— Nous la chérissons tous, expliqua-t-elle. C'est l'unique enfant qui soit née depuis que nous avons quitté nos Montagnes.

— C'est parce que notre race a besoin de l'air des Montagnes et des arbres Boolong pour s'épanouir ! s'écria Merin. Ici, nous végétons. Dans nos Montagnes, nous croissions et multiplions. Il y a belle lurette que nous aurions dû y retourner.

— Pour y trouver la mort ? Quelle bêtise, Merin ! riposta l'ancien, que la décision des trois Kin irritait. Si Ailsa, Bruna et toi regagnez les Montagnes, vous serez tuées à coup sûr. Alors, il y aura trois Kin de moins et nous aurons trois morts de plus à pleurer.

Ailsa leva ses grandes ailes.

— À quoi rime de rester dans ce bosquet pour mourir à petit feu ? Sans descendance pour continuer notre lignée, nous n'avons aucun avenir. Les Kin sont voués à l'extinction. J'aime mieux mourir vite, pour une bonne cause, plutôt que de vivoter ici.

— Nous avons nos rêves, dit doucement la mère de Prin.

— J'en ai assez de rêver ! se récria Ailsa.

— Et moi, je ne peux pas rêver du tout, glapit Prin. (Elle s'élança vers Ailsa et joignit les pattes.) Emmène-moi dans les Montagnes, Ailsa, l'implora-

Les Montagnes Redoutables

t-elle. Comme ça, je les aurai vues et je pourrai vous accompagner quand vous les visitez en rêve.

Ailsa secoua la tête.

— C'est impossible, Petite. Tu es trop précieuse. Mais pense à ceci : tu peux rêver de nous. Ainsi tu verras l'endroit où nous sommes et ce que nous faisons. Ce sera aussi formidable que de voyager toi-même !

À l'évidence, ce n'était pas l'avis de Prin. Elle se mit à pleurnicher sans tenir compte des ordres et des prières de sa mère. Pour finir, celle-ci l'emmena de force. Même quand elles furent hors de vue, les échos de leurs voix querelleuses retentirent du bosquet. Les Kin paraissaient désemparés.

L'ancien était attristé.

— Vous voyez ce que vous avez fait ? marmonna-t-il à l'adresse de Barda, Lief et Jasmine. Nous coulions des jours paisibles avant votre venue. À présent, la colère nous divise et Petite est malheureuse.

— C'est injuste d'en rejeter la faute sur les étrangers, Crenn, protesta Bruna. Merin, Ailsa et moi avons accepté de notre plein gré d'aller dans les Montagnes.

— C'est exact, approuva doucement Merin. Et Petite ne fait que dire ce qu'elle dit depuis ces dernières années, Crenn. Et, en grandissant, elle le dira de plus en plus. La vie qu'elle mène ici, sans compagnon de son âge, est trop calme pour elle. Elle ressemble beaucoup à Ailsa – débordante de vitalité et aventureuse.

— Et elle n'a aucun rêve pour la bercer, comme cela a été mon cas, intervint Ailsa. (Elle porta ses yeux brillants vers les compagnons.) Je remercie les étrangers d'avoir troublé ma quiétude, ajouta-t-elle. Grâce à eux, je revis.

Crenn se redressa, le dos raide. Son vieux visage aux moustaches blanchies, aux yeux troubles et pleins de nostalgie était tourné en direction des Montagnes. Le soleil avait sombré sous l'horizon quand il parla enfin.

— Chacun de vous dit la vérité, reconnut-il. Et si cela doit être, cela sera. Je ne peux que prier pour votre sauvegarde et je vous supplie de prendre soin de vous afin de nous revenir le plus vite possible.

— Nous te le promettons, rétorqua Ailsa. (Elle sourit à la cantonade.) Je vais boire à la source maintenant mais je m'en abstiendrai ensuite. Ainsi, mon sommeil sera léger. Il faut que l'une de nous reste consciente afin de réveiller les autres demain. Nous partirons avant l'aube.

5

L'Ennemi

Cette nuit-là, Lief rêva encore. Il avait délibérément bu à la Source des Songes en pensant
à ses père et mère. Si ses parents étaient morts,
se disait-il, mieux valait ne pas se voiler la face. S'ils
étaient en vie, ce serait pour lui l'occasion de découvrir où ils étaient.

Lorsque ses compagnons et lui s'étaient installés
pour dormir, la pensée de ce qui l'attendait l'avait
rendu silencieux et tendu. Il n'avait soufflé mot de
ses projets à Barda et à Jasmine. Peut-être les avaient-
ils devinés, cependant, car ils n'avaient parlé que pour
se souhaiter une bonne nuit. Lief leur en avait été
reconnaissant. C'était une épreuve qu'il devait affron-
ter seul, et en discuter n'aurait servi à rien.

Le sommeil tarda à venir. Il resta longtemps éveillé,

contemplant le ciel. Puis l'engourdissement dû à l'eau de la source finit par s'emparer de lui.

Cette fois, le rêve débuta presque instantanément. Ce fut l'odeur qui le frappa d'abord – une odeur d'humidité et de moisissure. Ensuite il perçut des gémissements et des sanglots à proximité, des voix étouffées, qui se réverbéraient, spectrales. Il faisait très sombre.

« Je suis dans une tombe », songea-t-il avec un frisson de terreur. Puis ses yeux s'habituèrent peu à peu à l'obscurité et il vit qu'il se trouvait dans un donjon. Une silhouette à la tête baissée était assise par terre dans un coin.

C'était son père.

Oubliant complètement qu'il n'était dans la cellule qu'en esprit, Lief cria, courut vers la forme affaissée et lui saisit le bras. Ses mains traversèrent de la chair solide. Son père demeura courbé sous le poids de la tristesse. À l'évidence, il n'entendait ni ne sentait rien. Des larmes brûlantes coulant de ses yeux, Lief l'appela encore. Cette fois, son père remua et leva la tête. Il regarda l'endroit où se tenait Lief, une légère moue perplexe sur le visage.

— Oui, Père, oui ! C'est moi ! hurla Lief. Oh, essaie de m'entendre ! Que s'est-il passé ? Quel est ce lieu ? Est-ce que Mère... ?

Mais son père, soupirant à fendre l'âme, inclina de nouveau la tête.

— Je rêve, murmura-t-il.

— Ce n'est pas un rêve ! protesta Lief. Je suis bel et bien là ! Père...

Son père releva brusquement la tête. Une clé grinçait dans la serrure. Lief se retourna à l'instant où la porte s'ouvrait. Trois silhouettes s'encadrèrent sur le seuil – un homme grand et mince vêtu de robes longues, entouré de deux gardes colossaux qui brandissaient des torches. Lief fut pris de panique, persuadé tout d'abord qu'on avait entendu ses cris. Puis il comprit que les nouveaux venus n'avaient pas plus conscience de sa présence que son père.

— Eh bien, Jarred !

L'homme prit la torche d'un des gardes et avança jusqu'au centre de la cellule. À la lumière vacillante de la flamme, son visage était anguleux, les pommettes profondément creusées, la bouche fine et cruelle.

— Prandine ! souffla Jarred.

Le cœur de Lief gronda. Prandine ? Le conseiller en chef du roi Endon, le serviteur secret du Seigneur des Ténèbres ? Mais n'était-il pas mort ?

L'homme sourit.

— Non, forgeron, je ne suis pas Prandine, railla-t-il. Celui qui portait ce nom s'est rompu le cou en tombant du donjon de ce palais voilà plus de seize ans, le jour où le Maître a réclamé son royaume. Prandine

43

a été imprudent... ou malchanceux. Peut-être éclaire-rez-vous ma lanterne sur ce point ?

— Je ne sais rien.

— C'est ce que nous verrons. Bref, quand un conseiller meurt, un autre prend aussitôt sa place. Le Maître aime ce genre de visage et de silhouette. Il a choisi de les répéter en moi. Je m'appelle Fallow.

— Où est ma femme ?

Lief retint son souffle. L'homme mince ricana.

— Cela vous plairait-il de l'apprendre ? Peut-être vous le dirai-je... si vous répondez à mes questions.

— Quelles questions ? Pourquoi avons-nous été conduits ici ? Nous n'avons rien fait de mal.

Fallow se tourna vers la porte, où les gardes obser-vaient la scène.

— Laissez-nous ! ordonna-t-il. J'interrogerai seul le prisonnier.

Les deux hommes opinèrent et se retirèrent.

Dès que la porte fut bien fermée, l'homme mince sortit un objet des plis de ses robes. Un petit livre bleu pâle.

C'était *La Ceinture de Deltora*, l'ouvrage que Jarred avait trouvé dans la bibliothèque du palais. Celui-là même que Lief avait si souvent étudié en grandissant et qui lui avait enseigné tant de choses sur la Ceinture et ses pierres précieuses.

Lief se contorsionna pour le voir. Comme il aurait aimé l'arracher des mains de Fallow ! Comme il aurait voulu sauver son père des sarcasmes cruels du conseiller ! Mais il était réduit à l'impuissance. Il ne pouvait assister à la confrontation qu'en spectateur.

— Cet ouvrage a été découvert chez vous, Jarred, reprit Fallow. Comment est-il arrivé là ?

— Je ne m'en souviens pas.

— Peut-être puis-je vous aider. Nous le connaissons. Il vient de la bibliothèque du palais.

— Adolescent, je vivais au palais. Il se peut que je l'aie emporté en partant. Cela remonte à des années. Je ne sais pas.

Fallow tapota le livre de ses doigts osseux sans se départir de son sourire méchant.

— Le Maître pense que vous nous avez trompés, Jarred. Il pense que vous êtes resté en contact avec votre stupide jeune ami, le roi Endon, et que vous l'avez aidé pour finir à s'enfuir avec son idiote d'épouse et leur enfant à naître.

Jarred secoua la tête.

— Endon a été assez bête pour me prendre pour un traître, déclara-t-il d'une voix lente et égale. Il n'aurait jamais requis mon aide... pas plus que je ne la lui aurais accordée.

— C'est aussi ce que nous croyions. Aujourd'hui, cependant, nous n'en sommes plus si sûrs. D'étranges événements sont survenus dans le royaume, forgeron. Des événements qui déplaisent fort à mon Maître.

Lief décela une brusque lueur d'espoir dans le regard baissé de son père. Il lorgna Fallow. L'avait-il vue, lui aussi ?

Hélas oui. Ses yeux avaient un éclat froid quand il poursuivit :

— Plusieurs de nos alliés, que le Maître estime beaucoup, ont été sauvagement tués. Certaines... marchandises, également appréciées du Maître, ont été dérobées. Nous avons le sentiment que le roi Endon vit toujours. Et qu'il tente un ultime – et futile – effort afin de remonter sur le trône. Que savez-vous à ce sujet ?

— Rien. Comme tout le monde à Del, je crois Endon mort. C'est ce qu'on nous a dit.

— En effet. (Fallow se pencha, de sorte que son visage et la torche enflammée frôlèrent l'homme à terre.) Où est votre fils, Jarred ? cracha-t-il.

Lief, la bouche soudain sèche, observa son père qui levait les yeux. Le cœur serré, il nota les rides profondes que l'épuisement, la souffrance et le chagrin avaient creusées sur les traits bien-aimés si semblables aux siens.

— Lief nous a quittés voilà des mois. Travailler à la forge l'ennuyait. Il aimait mieux sillonner la cité à sa guise en compagnie de ses amis. Nous ignorons où il est. Ne me parlez pas de lui ! Il a brisé le cœur de sa mère et le mien.

Pareil courage emplit Lief de fierté. La voix était haut perchée et geignarde – celle d'un père blessé, rien de plus. Son père, l'honnêteté incarnée, mentait comme un arracheur de dents, résolu à protéger son fils, et sa cause, à tout prix.

Fallow scrutait l'homme désespéré avec attention. Était-il dupe ?

— Le bruit court, reprit le conseiller avec lenteur, qu'un garçon d'à peu près son âge est l'un des trois criminels qui errent dans le royaume, tentant de déjouer les plans du Maître. Une fille et un homme l'accompagnent. Ainsi qu'un oiseau noir.

— Pourquoi me racontez-vous cela ?

Jarred s'agitait avec nervosité, apparemment en proie à l'impatience. Mais Lief, qui le connaissait si bien, se rendait compte qu'il avait écouté Fallow d'une oreille attentive. Nul doute qu'il se posait des questions sur cette fille et ce corbeau. Il ne savait rien de Jasmine et de Kree, ni de ce qui s'était passé dans les Forêts du Silence.

— Ce garçon, reprit Fallow, pourrait être votre fils. Comme vous êtes infirme, vous pourriez l'avoir envoyé à votre place dans quelque quête inutile. Quant à l'homme, il pourrait être... Endon.

Jarred éclata de rire – un rire qui parut tout à fait naturel. Et pour cause ! songea Lief. Quelle absurdité de confondre Barda avec le fragile et réservé roi Endon !

Les lèvres fines de Fallow se serrèrent en une ligne dure. Il abaissa la torche jusqu'à ce que la flamme danse dangereusement devant les yeux de l'homme qui riait.

— Prenez garde, Jarred ! cracha-t-il avec hargne. N'abusez pas de ma patience ! Votre vie repose entre mes mains. Et pas seulement la vôtre.

Le rire se brisa net. Lief grinça des dents quand il vit son père courber de nouveau la nuque.

Fallow se dirigea vers la porte.

— Je reviendrai, déclara-t-il à voix basse. Réfléchissez à mes paroles. La prochaine fois, j'exigerai des réponses à mes questions. Si vous êtes coupable, ainsi que nous le soupçonnons, vous n'avouerez sans doute rien, même sous la torture. Cependant, voir souffrir un être aimé sera-t-il plus persuasif.

Il frappa la porte du plat de la main pour l'ouvrir. Il sortit et la claqua derrière lui. La clé tourna dans la serrure.

— Père ! cria Lief à la silhouette tassée contre le mur. Père, ne perdez pas espoir ! Nous avons désormais quatre des sept pierres précieuses. Nous partons demain dans les Montagnes Redoutables afin de trouver la cinquième. Nous faisons au plus vite !

Mais son père, immobile, avait le regard vague.

— Ils sont vivants ! chuchota-t-il. Vivants, et victorieux !

Ses yeux brillaient. Ses chaînes cliquetèrent quand il serra les poings.

— Oh, Lief, Barda... bonne chance ! Je mène ici mon propre combat du mieux possible. Vous devez mener le vôtre. Que mes espoirs et mes prières vous accompagnent !

6

Envol

Lief fut réveillé par un bruit de voix. L'aube était proche. Jasmine et Barda s'affairaient déjà, rassemblant leurs armes, fixant les boîtes d'ampoules à leurs ceintures. Ailsa, Merin et Bruna revenaient de la Source des Songes. Lief demeura allongé sans bouger, se remémorant son rêve. Bien qu'il eût sans doute dormi plusieurs heures après l'avoir fait, chaque détail s'en était gravé dans son esprit.

Un poids terrible semblait le maintenir rivé au sol. Le poids du danger et de la souffrance qu'affrontait son père, de la crainte qu'il éprouvait pour sa mère. Puis il se rappela les yeux brillants de Jarred et ses paroles : *Je mène ici mon propre combat du mieux possible. Vous devez mener le vôtre...*

Lief s'assit, chassant résolument sa tristesse.

— Jarred et Anna ont toujours su que les choses risquaient d'en arriver là.

Barda se tenait près de lui, la mine sombre et les traits tirés.

Lief se leva d'un bond.

— Tu as vu mon père, toi aussi ?

Ils ramassèrent leurs couvertures de couchage, passèrent leurs sacs à l'épaule et se dirigèrent vers la source en conversant à voix basse. Jasmine les suivit, tendant l'oreille.

— J'ai rêvé dès que je me suis endormi, expliqua Barda. J'avais deviné tes projets, Lief, mais je souhaitais constater par moi-même comment se portait Jarred. Je n'ai pas appris grand-chose, mais je l'ai vu. Il était assis contre le mur d'un donjon... enchaîné. (Il serra les poings.) Je ne pouvais rien faire. Si seulement j'avais pu lui dire que...

— Il sait ! le coupa Lief. Il est au courant de nos succès. La nouvelle lui a redonné espoir.

— Il t'a entendu ?

— Non. Il l'a découvert autrement.

Ils avaient atteint la source. Tandis qu'ils avalaient en hâte des fruits secs et des biscuits arrosés d'eau en guise de petit déjeuner, Lief relata la visite de Fallow dans la cellule. Barda eut un rire amer à l'idée qu'on le prenait pour le roi Endon.

— Ma chère vieille mère serait fière d'entendre ça !

s'écria-t-il. Ainsi, ils n'ont pas remarqué que le mendiant de la forge avait disparu ?

— Non, répondit Lief. Ou s'ils s'en sont aperçus, ils ont dû croire que tu avais installé tes quartiers ailleurs dans la ville. (Il se rembrunit.) En ce qui me concerne, c'est une autre histoire. Quand les ennuis ont commencé, ils sont allés à la forge à cause du passé de Père. Ils ont découvert que j'étais parti. Ils ont fouillé la maison et...

— ... et ils ont trouvé le livre, marmonna Barda. J'avais conseillé autrefois à Jarred de le détruire. Mais il s'y est toujours refusé. Il disait qu'il était trop précieux.

Lief perçut un léger bruit derrière lui et se retourna. Jasmine enfilait son sac à dos. Elle avait la bouche serrée et les yeux noyés de chagrin. Il en devina la raison.

— Je n'ai pas fait le moindre rêve, déclara-t-elle en réponse à la question qu'il n'avait pas formulée. J'ai essayé de me représenter mon père en buvant à la source, mais j'étais si jeune quand les Gardes Gris l'ont emmené que je n'arrive pas à me rappeler son visage. Il n'est plus qu'une image floue. Alors... j'ai raté ma chance.

— Je suis désolé, murmura Lief.

Elle haussa les épaules et rejeta ses cheveux en arrière.

— Peut-être cela vaut-il mieux. Père est prisonnier

depuis de si nombreuses années. Qui sait ce qu'il endure ? Cela me rongerait puisque je ne peux l'aider. Je préfère le croire mort, comme ma mère. (Elle se détourna brusquement.) Dépêchez-vous ! Ne perdons pas notre temps en bavardages inutiles.

Elle s'éloigna, Kree volant à côté d'elle. Barda et Lief bouclèrent rapidement leurs sacs et la suivirent, conscients que derrière ses paroles dures se dissimulait une terrible souffrance. Comme ils auraient aimé pouvoir l'aider !

Hélas... il n'y avait rien qu'on pût faire. Rien qu'on pût faire pour Jasmine ou son père, ou pour les parents de Lief, ou pour n'importe laquelle des milliers de victimes de la cruauté du Seigneur des Ténèbres. Sauf...

Sauf ce qu'ils étaient précisément en train de faire, pensa Lief en s'approchant de l'endroit où attendaient Jasmine et les Kin. La Ceinture de Deltora était la tâche qui leur incombait. Quand celle-ci aurait récupéré ses sept pierres précieuses – quand l'héritier d'Endon aurait été retrouvé et le Seigneur des Ténèbres détrôné –, alors tous les prisonniers seraient libérés de leurs fers.

Les Kin s'étaient rassemblés au sommet d'une colline herbeuse, pour dire adieu aux voyageurs. Seule Prin manquait à l'appel.

— Petite n'a pas voulu venir, expliqua sa mère. Je vous prie de l'excuser. D'habitude, elle ne boude pas longtemps. Cette fois, c'est différent.

— Cette fois, la déception est profonde, murmura Ailsa. Pauvre Petite, je comprends sa peine.

Merin jeta un coup d'œil au ciel qui s'éclaircissait et se tourna vers Barda.

— Comme je suis la plus grande, vous voyagerez avec moi, dit-elle poliment.

Visiblement, elle avait hâte de partir.

Empli de nervosité, Barda grimpa dans sa poche. Lief ne put retenir un sourire et, en dépit de leurs craintes, de nombreux Kin éclatèrent de rire.

— Quel gros bébé tu as, Merin ! s'exclama la mère de Prin. Et qu'il est beau !

Barda et Merin gardèrent un silence digne.

Lief devait voyager avec Ailsa, et Jasmine avec Bruna, la plus petite des trois. Tous deux se hissèrent dans les poches à leur tour. Filli, surexcité, gazouillait sur l'épaule de Jasmine. À l'évidence, il trouvait les Kin extraordinaires et il était aux anges d'en côtoyer une de si près.

La poche d'Ailsa était chaude et avait la douceur du velours. D'abord, Lief redouta que son poids ne la blesse, puis il se rendit compte que son inquiétude était inutile.

— Un jeune Kin pèse beaucoup plus que vous

lorsqu'il quitte définitivement la poche de sa mère, lui apprit Ailsa. Installez-vous confortablement.

Mais le confort n'était pas à l'ordre du jour dans l'immédiat. Lief s'était demandé comment d'aussi lourdes créatures pouvaient prendre leur envol. Obtenir la réponse en direct était une expérience terrifiante.

La méthode était simple comme bonjour. Ailsa, Merin et Bruna se placèrent sur une ligne, déployèrent leurs ailes imposantes, puis se mirent à dévaler à toutes pattes le flanc de la colline. Leurs passagers, impitoyablement secoués, s'accrochaient du mieux qu'ils pouvaient, suffoquant. Bientôt, ils s'aperçurent qu'ils filaient droit vers le bord d'un à-pic.

Lief hurla et ferma les paupières quand Ailsa se jeta dans le vide. Un flot de panique l'étourdit brièvement lorsque les ailes puissantes battirent vigoureusement au-dessus de sa tête. Enfin, il sentit qu'ils s'élevaient avec une brusque embardée et de l'air frais afflua à son visage. Il constata que le bruit des ailes s'était ralenti et qu'elles avaient à présent un mouvement régulier. Il rouvrit les yeux.

La terre, en contrebas, ressemblait à un tapis bigarré, brodé de petits arbres et d'étroits sentiers sinueux. Devant, les Montagnes Redoutables paraissaient déjà plus proches. Elles étaient encore floues, mais avaient l'air plus sombres, plus menaçantes. Au-delà, on distinguait la chaîne montagneuse qui marquait la frontière avec le Pays des Ténèbres. Lui aussi semblait plus proche.

— Combien de temps nous faudra-t-il pour atteindre les Montagnes ? cria Lief par-dessus le mugissement du vent.

— Nous devrons faire halte à la tombée du jour, répondit Ailsa. Mais si le beau temps continue, nous devrions y arriver demain.

« Demain ! songea Lief. Demain nous saurons une fois pour toutes si les gnomes des Montagnes Redoutables scrutent toujours le ciel en quête de Kin. Si c'est le cas, nous mourrons. Les gnomes tueront Ailsa, Merin et Bruna, et nous nous écraserons au sol avec elles. »

Frissonnant, il porta la main à la Ceinture de Deltora et effleura les quatre pierres qui y étaient fixées. Elles se réchauffèrent à son contact : la topaze, symbole de loyauté, le rubis, symbole du bonheur, l'opale, symbole de l'espoir et le mystérieux lapis-lazuli, la pierre céleste.

« Tout ira bien, se dit-il. Ces pierres, à coup sûr, nous protégeront. » Mais alors même qu'il le pensait, des phrases tirées de *La Ceinture de Deltora* lui traversèrent l'esprit.

✝ **Chaque pierre possède sa magie propre, mais ensemble les sept gemmes forment un charme infiniment plus puissant que la somme de ses parties.**

Seule la Ceinture de Deltora telle que l'a faite Adin à l'origine et telle que l'a portée son authentique héritier a le pouvoir de vaincre l'Ennemi.

L'avertissement était clair. Les pierres dont Lief et ses compagnons avaient la responsabilité pouvaient les aider en cours de route, et non les sauver.

Lief prit soin de ne pas laisser ses doigts frôler l'opale. Il ne désirait pas avoir un aperçu de l'avenir. Si celui-ci était effrayant, il ne voulait pas le connaître. Il affronterait ce que le destin lui réservait le moment venu.

7

Au Repos des Kin

Lorsque le soleil se coucha dans un flamboiement de rouge, les Kin descendirent en tournoyant, cherchant à repérer l'endroit où elles prévoyaient de passer la nuit.

— Nous y trouverons de l'eau, de la nourriture et un toit ! cria Ailsa à Lief. Autrefois, nous y faisions halte au cours de nos voyages entre les Montagnes et le bosquet. Nous l'appelons Au Repos des Kin.

Il faisait presque nuit quand elles piquèrent vers le sol, battant vigoureusement des ailes tandis qu'elles slalomaient entre les grands arbres pour rejoindre leur havre.

Lief, Barda et Jasmine sautèrent maladroitement hors de leurs poches. C'était très étrange de retrouver la terre ferme sous leurs pieds. Ils regardèrent autour d'eux. Au Repos des Kin était un lieu paisible, en effet. D'épaisses fougères bordaient la petite rivière qui le traversait en glougloutant et des colonies de champignons poussaient au pied des gros arbres. Une cascade grondait non loin.

— Que les arbres ont grandi ! s'enthousiasma Merin, ôtant des feuilles et des brindilles de sa fourrure. Ils cachent complètement la rivière, à présent. Et regarde, Ailsa... des fougères obstruent l'entrée de la grotte où nous jouions.

— Tout a changé, effectivement, acquiesça Ailsa. Pas étonnant qu'il nous ait fallu tant de temps pour repérer notre refuge d'en haut. Nous aurions dû le visiter en rêve depuis longtemps au lieu d'aller toujours dans les Montagnes.

Avec lassitude, Lief, Barda et Jasmine s'assirent sur la berge de la rivière et regardèrent les trois Kin explorer leur territoire. Jasmine pencha la tête, écoutant le bruissement des arbres.

—- Que disent-ils ? demanda Lief. Sommes-nous en sécurité ?

Jasmine fronça les sourcils.

— Je le pense. Les arbres sont heureux de revoir des Kin. Beaucoup ont des centaines d'années et ils se rappellent parfaitement les temps anciens. Mais je perçois aussi en eux de la tristesse et de la peur. Il s'est passé ici quelque chose de mal. On a versé du sang et un être qu'ils chérissaient est mort.

— Quand ? s'enquit Barda, soudain sur le qui-vive.

— Ces arbres n'ont pas la même notion du temps

que nous, Barda, expliqua patiemment Jasmine. Le triste événement dont ils se souviennent pourrait avoir eu lieu voilà une saison ou vingt. C'est du pareil au même, pour eux. (Soudain, elle frissonna.) À mon avis, nous ne risquons rien à allumer un feu. Les arbres en dissimuleront l'éclat. Et j'ai besoin de réconfort.

✳

Les compagnons, blottis près de la chaude flambée, mangeaient des fruits secs et du gâteau aux noix et au miel quand Ailsa les appela depuis l'obscurité qui régnait au-delà de la rivière. Sa voix était bizarre. Alarmés, ils se levèrent d'un bond et, après avoir allumé une torche, ils se dirigèrent vers la grotte envahie par les fougères.

— Nous explorions notre grotte, chuchota Ailsa. Nous y jouions enfants. Nous avons... nous avons trouvé quelque chose à l'intérieur et pensé que vous aimeriez le voir.

Les compagnons suivirent les Kin dans la grotte. La lumière de la torche dansait sur les parois rocheuses et sur le sol sablonneux, éclairant des objets abandonnés : des pots et des casseroles, une chope, de vieilles couvertures étendues sur une couche de fougères réduites en poussière, un ballot de vêtements, une chaise faite de branches mortes, une torche fichée dans un mur...

— Quelqu'un a vécu ici, souffla Lief.

Barda prit une couverture et la laissa retomber dans un nuage de poussière.

— Pas récemment, dit-il. Cela remonte à plusieurs années, à mon avis.

— Il y a autre chose, murmura Ailsa.

Elle les ramena vers l'entrée de la grotte et écarta les fougères qui formaient un fourré dense d'un côté. Une pierre plate et moussue y était plantée, tel un poteau indicateur.

— Des mots y sont gravés, ajouta Bruna.

Barda abaissa la torche et les trois compagnons virent qu'un texte était bien inscrit avec soin dans la pierre.

CI-GÎT DOOM
DES COLLINES,
QUI DONNA ASILE
À UN ÉTRANGER
SANS AMIS,
CE QUI CAUSA
SA MORT.
IL SERA VENGÉ.

Barda jeta un regard entendu à Lief et à Jasmine.

— Drôle de nom à trouver sur une pierre tombale, marmonna-t-il. Et drôle de message.

Abasourdi, Lief regarda fixement le texte.

— Doom des collines est mort ! souffla-t-il. Mais cette tombe est ancienne... Elle a au moins dix ans, à en juger par l'aspect de la pierre. Ainsi, l'homme que nous connaissons comme étant Doom...

— ... est quelqu'un d'autre, acheva sèchement Jasmine, les joues empourprées de colère. Il vit sous un faux nom. J'étais sûre qu'on ne pouvait lui faire confiance. C'est peut-être un espion du Seigneur des Ténèbres !

— Ne sois pas idiote ! Qu'il n'utilise pas son vrai nom ne prouve rien, ronchonna Barda. Nous-mêmes ne portions pas nos noms véritables quand nous l'avons rencontré.

Lief hocha lentement le menton.

— Il lui fallait cacher son identité. Alors, il a pris le nom de l'homme enterré ici.

— Un homme qu'il a peut-être trahi et assassiné, marmonna Jasmine. Car il est venu dans ce lieu. Je le sens.

Barda préféra ne pas relever. Il se mit à arracher les fougères pour dégager la tombe. Lief se pencha pour lui prêter main-forte. Jasmine ne bougea pas, les yeux froids et pleins de fureur.

Les trois Kin les observaient, désemparées. Enfin, Merin s'éclaircit la gorge et joignit les pattes.

— Visiblement, notre découverte vous a fait de la peine. Nous en sommes navrées, dit-elle doucement. Nous avons mangé un tas de feuilles et nous sommes désaltérées à la rivière. À présent, nous allons nous rouler en boule et dormir. Nous devons partir tôt demain matin.

Sur ce, les trois Kin s'éloignèrent et se fondirent bientôt dans les ténèbres. Peu après, Barda et Lief achevèrent leur besogne et retraversèrent la rivière. Jasmine les suivit en silence. Quand ils rejoignirent leur feu, les Kin, blotties les unes contre les autres, ressemblaient à un bloc de grands rochers. Elles dormaient à poings fermés.

Lief s'enveloppa dans sa couverture et essaya de trouver le sommeil. Mais soudain, la forêt lui parut moins accueillante. Un voile de tristesse paraissait s'être abattu sur les arbres et l'obscurité bruissait... Des brindilles craquaient, des feuilles murmuraient... On aurait dit que quelqu'un, ou quelque chose, les épiait.

Il ne put s'empêcher de penser à l'homme qui se faisait appeler Doom. En dépit de ce qu'il avait dit à Jasmine, les mots gravés sur la pierre tombale l'avaient ébranlé. Doom les avait affectivement aidés et sauvés des griffes des Gardes Gris. Mais cela faisait-il partie d'un plan plus vaste ? Une mise en scène destinée à gagner leur confiance ? À leur soutirer le secret de leur quête ?

... l'Ennemi est rusé et fourbe, et à l'aune de sa colère et de sa cupidité, mille ans durent à peine le temps d'un battement de paupières.

Était-ce par hasard que Doom avait réapparu dans leur vie ? Ou avait-il agi sur ordre ?

Peu importait, au fond. Ils ne lui avaient rien dit, songea Lief en resserrant sa couverture autour de lui. Pourtant, des doutes le torturaient. L'obscurité semblait se refermer sur lui, mystérieuse et menaçante.

Ce soir, se dit-il, chacun d'eux avait bu à la rivière. Ils n'avaient pas été drogués par la Source des Songes. Ils entendraient un ennemi approcher. Kree veillait. Et, selon Jasmine, les arbres affirmaient qu'ils étaient en sécurité.

Malgré tout, le sommeil tarda à venir. Et quand Lief s'endormit enfin, il rêva d'une tombe solitaire et d'un homme sombre et empli d'amertume qui dissimulait son visage sous un masque. Une brume épaisse tourbillonnait autour de lui, qui tantôt se dissipait, tantôt se rapprochait.

Qu'y avait-il derrière le masque ? L'homme était-il un ami ou un ennemi ?

8

Les Montagnes Redoutables

L es voyageurs se remirent en route une heure avant l'aube. Ailsa, Bruna et Merin s'élancèrent du sommet de la cascade pour traverser une vallée encaissée, puis s'élevèrent de nouveau vers le ciel. À présent, elles volaient aussi vite que le vent. La nuit qu'elles avaient passée au Repos des Kin semblait leur avoir donné une énergie nouvelle.

— C'est à cause de l'eau de la rivière, expliqua Ailsa à Lief. Pour la première fois depuis de nombreuses années, j'ai dormi sans rêver... ou, du moins, sans faire les rêves particuliers dus à la source. Ce matin, je me sens dans la peau d'une adolescente.

— Moi aussi ! s'exclama Bruna qui volait à leur hauteur. Bien que je me sois tournée et retournée un bout de temps dans les ténèbres. Il me semblait que la tribu était proche et que tous tentaient de me dire quelque chose. Mais, bien sûr, je ne voyais ni n'entendais rien, et mon impression s'est bientôt dissipée.

Ailsa et elle demeurèrent silencieuses. Lief, qui voyait les Montagnes grossir à l'horizon, fut pris d'inquiétude. Pour qu'elle ait perçu leur présence, les Kin avaient dû tenter désespérément de communiquer avec Bruna. Avaient-ils des nouvelles à lui transmettre ? Des nouvelles alarmantes ?

Il ferma les yeux et s'obligea à se détendre. Il découvrirait bien assez tôt ce que les Montagnes Redoutables leur réservaient.

✳

À la mi-journée, les Montagnes surgirent face à eux – une vaste masse sombre emplissant leur champ visuel. Leur surface déchiquetée était couverte de rochers et d'épineux vert foncé. Des nuages s'amoncelaient autour de leur cime. À leur pied, une route s'éloignait en serpentant, se perdait dans la chaîne montagneuse qui se dressait au-delà. « La route qui mène au Pays des Ténèbres », pensa Lief, le cœur serré.

Il était impossible de percer la couche de feuillage des arbres poussant en bosquets denses. Déjà, les gnomes les avaient peut-être repérés. Peut-être se cachaient-ils, leurs flèches pointées vers le ciel, attendant que les trois Kin soient à portée de tir. Lief plissait les yeux, s'efforçant d'apercevoir un éclat métallique, un mouvement. Même s'il ne voyait rien, il avait peur.

— Attention ! l'avertit Ailsa. Je vais devoir compliquer la tâche aux gnomes. On m'a enseigné cette technique voilà bien longtemps, mais ça ne s'oublie pas. Accrochez-vous !

Elle se mit à descendre en piqué et à tournoyer, montant en chandelle, plongeant de nouveau vers le sol. Haletant, se cramponnant de toutes ses forces, Lief constata que Merin et Bruna suivaient l'exemple d'Ailsa.

Et juste à temps. Peu après, la première flèche jaillit vers eux, manquant Ailsa d'un cheveu. Un faible chœur de cris stridents retentit d'en bas. Lief regarda et en eut la chair de poule. Les rochers grouillaient à présent de créatures à la peau pâle, aux yeux caves et au sourire féroce. Chacune bandait son arc. Et brusquement, des centaines de flèches fendirent l'air, telle une pluie mortelle.

Ailsa virait à gauche, à droite, montait, descendait pour esquiver, tout en maintenant son cap. Les Montagnes devenaient sans cesse plus proches. D'un coup, il sembla que la cime des arbres se précipitait à leur rencontre et qu'une des flèches allait sûrement atteindre sa cible.

— Les gnomes au grand complet sont sur le sommet, près de leur forteresse ! cria Bruna. Posez-vous plus bas, Kin, à l'endroit où les Boolongs sont le plus touffus. Les gnomes ne s'y risqueront pas.

L'air retentissait des gloussements perçants des gnomes et des grognements des Kin qui propulsaient leurs énormes corps de côté et d'autre. Lief entendait le cœur d'Ailsa battre follement et, plus vaguement, Barda et Jasmine presser Merin et Bruna de continuer.

— Couvrez-vous le visage ! brailla Ailsa.

Et, dans un fracas assourdissant, ils percutèrent le haut des arbres, brisant feuilles et branches, dévastant tout sur leur passage.

✳

— Lief, ça va ?

Avec raideur, Lief ôta les mains de son visage et, battant des paupières, plongea le regard dans les yeux sombres et anxieux d'Ailsa. Il déglutit.

— Très bien, merci ! croassa-t-il. Aussi bien que quelqu'un qui vient de s'écraser dans des ronces.

Ailsa hocha gravement la tête.

— Ce n'était pas mon meilleur atterrissage, je l'avoue. Mais il n'y a pas de trouée entre les Boolongs, par ici. Voilà pourquoi nous sommes à l'abri des gnomes. Ils n'aiment pas les épines.

Barda, assis sur le sol près de Jasmine, inspectait de vilaines égratignures sur le dos de ses mains.

— Moi non plus, grommela-t-il.

Après s'être levé tant bien que mal, il se dirigea vers une petite rivière qui coulait non loin de là. Il nettoya ses blessures.

Merin et Bruna s'étaient élancées dans l'enchevêtrement d'arbres noueux qui surplombaient l'eau jaillissante. Elles arrachaient joyeusement de durs cônes noirs aux bouquets de feuilles épineuses qui recouvraient les troncs et les croquaient comme s'il s'était agi de bonbons.

— Voici donc les arbres Boolong, reprit Barda. Je mentirais si je disais qu'ils ont l'air sympathiques. Je n'ai jamais vu des épines pareilles.

— Elles ne nous blessent pas, répliqua Ailsa. (Elle ôta quelques feuilles de sa fourrure veloutée, les fourra dans sa gueule et les mâcha avec délices malgré les longues épines acérées qui en garnissaient les bords.) Quand nous vivions ici, expliqua-t-elle, la bouche pleine, il n'y avait pas autant de Boolongs et de nombreux sentiers serpentaient entre eux. Les rivières étaient larges et il y avait des clairières partout. Depuis que nous ne sommes plus là pour nous nourrir d'eux, les Boolongs ont prospéré de façon prodigieuse. Les cônes regorgent de graines... C'est ce qui les rend si savoureux.

Dans le ciel, il y eut un grondement de tonnerre. Ailsa cessa de mastiquer et huma l'air. Puis elle rejoignit à la hâte Merin et Bruna qui festoyaient toujours.

— Nous devons partir ! s'écria-t-elle. Un orage se prépare. Emplissez vos poches de cônes. Nous les rapporterons à la tribu.

Jasmine secoua la tête.

— Les gnomes ont sans doute la pierre précieuse. Mais comment grimper jusqu'à leur forteresse à travers cette forêt d'épineux ? ronchonna-t-elle. Nous serons hachés menu si nous essayons. Nous ne pouvons que rester assis les bras croisés à présent que les Kin ont dégagé une clairière en atterrissant.

— Et pourquoi pas nous frayer un chemin en mettant le feu ? suggéra Lief.

Kree croassa et Filli se mit à babiller nerveusement. Jasmine fronça les sourcils.

— Ce serait beaucoup trop dangereux, répondit-elle. Nous serions incapables de le maîtriser, dans des taillis aussi épais. La fournaise nous rôtirait comme un rien.

Les trois Kin revinrent vers eux, leurs poches bourrées de cônes et de bouquets de feuilles épineuses. Apparemment, elles s'étaient disputées.

— Nous sommes venues vous dire adieu, déclara Ailsa. Nous devons partir sans tarder, afin d'éviter l'orage. Les orages sont violents, dans cette région et durent parfois plusieurs jours.

— Nous ne devrions pas abandonner nos amis aussi vite ! se récria Merin. Ils ignorent encore trop de choses.

Merin, irritée, tordit ses moustaches.

— Merin, nous avons promis à Crenn de rentrer le plus vite possible. Or, si nous sommes piégées ici...

— Piégées ! protesta Merin. Ce lieu est notre foyer. C'est là où nous devrions être pour toujours. Je m'en rends compte maintenant que j'y suis. (Ses yeux brillaient d'excitation.) Restons ! Les autres viendront nous rejoindre. Les gnomes ne peuvent rien contre nous au pied des Montagnes.

Ailsa soupira.

— Merin, c'est un miracle que nous ayons atterri sans dommage. Veux-tu que nos amis prennent ce risque ? D'après toi, combien d'entre eux y survivraient ?

— Et même si la moitié seulement s'en tirait indemne, intervint Bruna, les arbres Boolong retrouveraient leur croissance normale au bout de quelques années. On retracerait les sentiers, les gnomes reviendraient et le massacre recommencerait.

Merin pencha la tête.

— C'est cruel, chuchota-t-elle.

Mais Lief, Barda et Jasmine comprirent qu'elle donnait raison à ses amies.

Le tonnerre gronda. Ailsa jeta un regard nerveux vers le ciel.

— Il y a un gros affleurement rocheux dans les parages, dit-elle. Je l'ai repéré en arrivant. Ce sera le moyen le plus rapide de décoller. La manœuvre sera difficile, mais je nous crois assez fortes pour la réussir.

Les compagnons suivirent les Kin qui progressaient parmi les Boolongs. Ils atteignirent bientôt le surplomb rocheux et contemplèrent le ciel immense Des nuages noirs et menaçants affluaient du sud.

— Les nuages nous dissimuleront, déclara Ailsa. Et, si je ne m'abuse, les gnomes sont occupés à scruter les hauteurs, dans l'espoir d'apercevoir d'autres Kin. Ils ne regarderont pas en bas, dans l'immédiat.

— Adieu donc, aimables Kin ! s'écria Barda. Nous ne vous remercierons jamais assez de ce que vous avez fait pour nous.

— Inutile de nous remercier, répondit Bruna avec simplicité. Chacune de nous est ravie d'avoir revu son foyer – même brièvement. Veuillez seulement prendre soin de vous afin qu'un jour nous puissions vous revoir.

Les trois Kin s'inclinèrent et effleurèrent de la tête le front des compagnons. Puis elles pivotèrent, déployèrent leurs ailes et s'élancèrent vers le ciel.

Pendant quelques instants chargés de tension, elles battirent furieusement des ailes pour ne pas s'écraser au sol. Lief, Barda et Jasmine les observèrent dans un silence fébrile, craignant que les gnomes n'entendent le vacarme, regardent en bas et décochent des volées de flèches.

Mais tout se passa bien. Il n'y eut ni cris ni flèches quand les Kin se stabilisèrent enfin et commencèrent à voler. Leurs silhouettes s'estompèrent tandis que les nuages s'amassaient autour d'elles. Puis elles disparurent.

Barda poussa un soupir de soulagement et entreprit de redescendre. Lief, qui s'apprêtait à le suivre, entrevit tout à coup un mouvement du coin de l'œil. Il leva la tête et, stupéfait, aperçut une forme sombre émerger maladroitement des nuages.

— Une des Kin est de retour ! souffla-t-il. Mais pourquoi vole-t-elle si haut ? Oh, non !

Les trois amis scrutèrent le ciel, frappés d'horreur. La Kin fonçait droit dans la ligne de tir des gnomes. Ce n'était pas Ailsa. Ni Bruna. Ni Merin. C'était...

— Prin ! siffla Lief, pris de terreur.

La petite Kin repéra la zone d'arbres brisés qui marquait l'aire d'atterrissage. Elle mit le cap dessus, ses ailes courtaudes battant faiblement. Aussitôt, un glapissement triomphant retentit ainsi que de grands éclats de rire. Quelque chose fendit l'air... Prin tombait comme une pierre, une flèche fichée dans le poitrail.

9

Peur

Hurlant d'horreur, Lief, Barda et Jasmine bondirent du surplomb rocheux et coururent vers la clairière. Les yeux voilés par la souffrance, Prin se débattait faiblement sur la berge de la rivière. Ses ailes étaient fripées sous elle et elle poussait de petits cris pitoyables.

La flèche qui lui avait transpercé le poitrail était tombée à terre, laissant une blessure minuscule. Mais le poison dont son extrémité était enduite agissait à une vitesse foudroyante. Son œuvre terrible était presque achevée.

— Stupide enfant ! gronda Barda. Jasmine, le...

— Le nectar... s'exclama Lief au même moment.

Jasmine avait déjà saisi la fiole accrochée à son cou et en versait le contenu sur la poitrine de Prin. Trois gouttes ambrées du nectar des Lys d'Éternelle

Jouvence tombèrent dans la blessure. Il n'y en avait pas plus.

Jasmine secoua la fiole pour montrer qu'elle était vide.

— Si cela ne suffit pas, nous ne pourrons rien faire d'autre, marmonna-t-elle. (Elle grinça des dents de colère.) Oh, qu'espéraient-ils gagner en la tuant ? Ils savaient qu'elle tomberait ici, dans un endroit inaccessible pour eux. Ces gnomes ne tuent-ils donc que pour le plaisir ?

— Il semblerait, en effet, répliqua Barda. Ne les as-tu pas entendus rire ?

Lief nicha la tête de Prin au creux de ses bras, l'appelant pour la ramener à la vie, comme il l'avait fait pour Barda naguère dans les Forêts du Silence. Comme Jasmine l'avait fait pour Kree sur la route du Lac des Pleurs. Et pour lui, dans la Cité des Rats. Le nectar que Jasmine avait recueilli si longtemps auparavant tandis qu'il coulait des Lys d'Éternelle Jouvence éclos avait sauvé trois vies. En sauverait-il une quatrième ?

Prin s'agita. Lief retint son souffle. La plaie se refermait peu à peu. Bientôt, elle disparut. La petite Kin ouvrit les yeux, cilla, examinant Lief avec surprise.

— Je suis tombée ? demanda-t-elle.

— Prin, qu'est-ce que tu fais là ? tonna le garçon.

Elle se recroquevilla. Lief se maudit. Comme Barda dans les Sables Mouvants, il avait laissé la peur et le soulagement provoquer la colère. Il s'était pourtant bien juré de ne jamais se laisser piéger. « Au temps pour les bonnes résolutions », pensa-t-il amèrement.

— Je suis désolé, Prin, reprit-il d'un ton plus doux. Je n'avais pas l'intention de crier. Mais nous avons eu si peur pour toi. Es-tu venue seule ?

Prin hocha la tête, le dévisageant toujours avec méfiance.

— Je vous ai suivis. Je ne supportais pas de rater ma seule occasion de voir les Montagnes. (Elle regarda la clairière, se repaissant du spectacle. Sa voix s'affermit.) J'ai dormi près de vous au Repos des Kin. Vous ne vous en êtes même pas aperçus ! jubila-t-elle, Mais aujourd'hui, les autres ont volé tellement vite que je suis restée à la traîne. J'étais fatiguée, si fatiguée... Puis les nuages sont arrivés, et j'étais désorientée... Alors... (Ses yeux s'agrandirent soudain de terreur. Elle étreignit sa poitrine, baissa le regard et haleta – il n'y avait aucune blessure.) Je croyais avoir été touchée, chuchota-t-elle. Mais... mais ce devait être un rêve.

Les compagnons se regardèrent.

— Ce n'était pas un rêve, répliqua gentiment Lief. Tu as bel et bien été blessée. Nous avions une potion qui t'a guérie.

— Tu n'aurais pas dû venir, Prin, gronda Barda.

Comment aurait réagi ta tribu si elle t'avait perdue, toi, son unique enfant ?

— J'étais certaine que je ne mourrais pas, affirma Prin. (Elle se remit sur ses pattes et regarda autour d'elle.) Où est Ailsa ? demanda-t-elle en sautillant de-ci, de-là. Et Merin ? Et Bruna ? Elles vont avoir la surprise de leur vie. Elles me croyaient incapable de couvrir une telle distance.

Sans attendre de réponse, elle franchit la rivière en quelques bonds et se mit à battre les taillis de l'autre berge en criant leurs noms.

— Elle ne devine pas qu'elles sont parties, marmonna Barda. Sûr qu'elle s'attendait à rentrer au bosquet avec elles. Elle ne retrouvera jamais son chemin seule. Qu'allons-nous faire d'elle ?

— Elle nous accompagnera, répondit calmement Jasmine.

— Mais c'est trop dangereux ! se récria Lief.

Jasmine haussa les épaules.

— Elle a choisi de venir ici. Elle doit en assumer les conséquences. Les Kin l'ont pourrie gâtée. Ils la traitent comme un bébé. Or ce n'en est plus un. Elle est jeune, oui, mais pas désarmée. Elle peut nous être utile. (Elle indiqua du menton Prin qui se gavait de feuilles. Elle avait déjà dégagé un large espace entre les Boolongs.) Vous voyez ? Elle nous aidera à ouvrir un chemin. Si nous suivons la rivière...

— C'est hors de question ! l'interrompit Barda

d'un ton ferme. Je refuse d'avoir sur les bras une autre gamine entêtée qui a plus d'énergie que de bon sens. Deux, c'est trop !

Si Lief ne se vexa pas de la plaisanterie brutale comme il l'aurait fait autrefois, il ne sourit pas non plus. L'idée d'emmener Prin au sommet des Montagnes lui déplaisait autant qu'au colosse.

Le tonnerre gronda au-dessus de leurs têtes. L'obscurité, à présent, avait envahi la clairière. L'air était épais et lourd.

— Notre priorité est de trouver un abri, déclara Jasmine. L'orage...

Soudain, elle se raidit. La tête penchée, elle écouta intensément.

— Qu'est-ce que... ? chuchota Lief.

Puis il se rendit compte que le bruit de la rivière était plus fort. Bientôt, on aurait cru que l'eau se ruait dans la clairière. Une inondation ? pensa-t-il, perplexe. Mais il ne pleuvait pas encore et, de toute façon, le vacarme provenait du pied des Montagnes. Comment...

Puis il ne pensa plus à rien quand il aperçut Prin statufiée au milieu du courant, regardant, interloquée, en direction de la source du bruit.

— Prin ! cria-t-il. Sors de là ! Sors de là !

Prin glapit et, à demi volant, à demi sautant, entreprit de regagner la berge. À cet instant, un rugissement retentit et une créature abominable et visqueuse ayant forme humaine se matérialisa à l'endroit que venait de quitter la Kin, la ratant de peu. Grondant de colère d'avoir été privé de sa proie, le monstre pivota, levant sa tête hideuse.

— Le Vraal ! hurla Prin d'une voix stridente en s'éloignant à reculons. Le Vraal !

Lief sentit son sang se glacer dans ses veines lorsqu'il saisit son épée. Vert mat rayées de jaune, les écailles de la créature, semblables à celles d'un serpent, brillaient d'une lueur malveillante dans la pénombre de la forêt. Le monstre était aussi grand que Barda et deux fois plus large. Il avait d'énormes épaules voûtées, une queue battant comme un fouet et des bras puissants qui se terminaient par des griffes pareilles à des lames incurvées. Mais le plus horrible, c'était qu'il ne semblait pas avoir de visage – juste une masse de chair informe et écailleuse dépourvue d'yeux, de nez, de bouche.

Puis il rugit. La masse parut se scinder en deux tel un fruit qui explose quand ses mâchoires sanguinolentes s'ouvrirent. Ses yeux devinrent alors visibles – deux fentes d'un orange ardent qui regardaient avec méchanceté à travers des rides et des plis protecteurs. Il bondit hors de la rivière et atterrit d'un seul mouvement sur la berge.

Lief remarqua qu'il avait en guise de pieds des sabots fendus qui s'enfonçaient profondément dans la terre molle. Ils paraissaient trop frêles pour supporter le mastodonte. Quand le Vraal rugit de nouveau et s'élança en avant, Lief chassa toute réflexion de son esprit.

Aussi clair que le jour, la créature était une machine de mort. Elle ne s'inquiétait pas du tonnerre qui roulait dans le ciel. Elle rivait ses yeux mauvais sur Prin.

— Prin ! Baisse-toi ! hurla Barda.

Trop terrifiée pour désobéir, la petite Kin se jeta à terre. Une ampoule siffla au-dessus de sa tête en direction du Vraal. Barda l'avait projetée de toutes ses forces, mais la créature fit un bond de côté à une vitesse ahurissante et l'arme s'écrasa contre un arbre. Le poison qu'elle contenait se déversa sur le sol en grésillant.

Barda jura et en envoya une seconde – la dernière qu'il possédait, nota Lief avec effroi. Le colosse, cette fois encore, avait bien visé. De nouveau, cependant, le Vraal esquiva juste à temps le trait mortel. Ses sabots creusèrent de profondes ornières dans la terre et il atterrit avec assurance plus loin de Prin, mais plus près de Barda.

Lief vit Prin s'éloigner en rampant et se glisser dans la rivière. Elle n'y serait pas en sécurité ! Il voulut lui crier de courir vers les arbres, puis se ravisa. Inutile d'attirer sur elle l'attention du monstre. Puis, comme il hésitait, il s'aperçut que ce dernier avait complètement oublié la petite Kin. Il tourna ses yeux de braise vers l'homme qu'il considérait désormais comme son ennemi le plus dangereux. L'homme qui avait tenté de le tuer avec le poison des Gardes Gris. L'homme qui lui faisait à présent face, l'épée tirée.

La bouche sans lèvres de la créature s'étira en un hideux rictus. Le Vraal sortit ses griffes, mettant Barda au défi de se battre.

10

Le combat

Barda ne bougea pas d'un pouce, conscient que le moindre geste, le moindre signe de peur causerait sa perte. Derrière lui, Lief et Jasmine se regardèrent. La créature se déplaçait à la vitesse de l'éclair. Jasmine avait encore des ampoules. Mais elle ne pouvait les lancer tant que Barda était dans sa ligne de mire. Son seul espoir était de se faufiler sur le côté à l'insu de l'ennemi.

Sans crier gare, le Vraal passa à l'attaque. Barda leva son épée pour se défendre et l'acier brillant résonna sous les griffes de la créature. Barda se contorsionna et plongea. Cette fois, le Vraal, sur la défensive, frappa le plat de la lame d'un coup si puissant que le colosse en chancela.

Lief se précipita à sa rescousse, brandissant son épée. Le monstre siffla de plaisir. Deux adversaires, quel régal ! Il ne s'était pas battu depuis si longtemps. Or, se battre, voilà à quoi on l'avait formé.

Faire l'usage de ses talents lui manquait, ainsi que la joie de l'affrontement et les hurlements des ennemis vaincus. Attraper des gnomes glapissant et gigotant dans la rivière quand ils venaient y boire ne l'amusait guère. Esquiver leurs flèches était un jeu d'enfant. Mais ce combat... ce combat réchauffait son sang froid.

Grondant, il fondit sur les deux épées, les écarta d'une pichenette, repoussa les gringalets qui les tenaient, les repoussa encore. Par deux fois, les pointes acérées percèrent sa carapace. Il ne s'en soucia pas une seconde. Pas plus qu'il ne prêta attention à l'oiseau noir qui fondait en piqué sur sa tête, le lacérant de son bec aiguisé, tournoyant pour plonger encore.

Le Vraal ne craignait ni la douleur ni la mort. Son esprit n'était pas conçu pour nourrir de telles pensées, ni même quelque pensée que ce fût sauf une : toute créature qui n'appartenait pas à son espèce était un ennemi qu'il fallait combattre et réduire en charpie. Dans l'Arène de l'Ombre ou ici... peu importait.

De sa vie, il n'avait essuyé qu'une unique défaite. Cela remontait à très loin, au Pays des Ténèbres. Le Vraal ne se rappelait plus comment il avait mordu la poussière ni comment il s'était retrouvé errant dans cet endroit. Il ne se rappelait plus les Gardes Gris qui l'y avaient conduit. Leurs os rongés s'étaient mêlés depuis belle lurette à l'humus de la forêt. L'anneau d'acier à la base de sa nuque était le seul souvenir de son ancienne vie. Cet anneau, et le besoin de tuer.

Il aperçut le troisième ennemi, la petite femelle avec une dague dans une main et le poison des Gardes Gris dans l'autre, qui s'éloignait furtivement afin de l'attaquer de flanc ou à revers. Elle se déplaçait à pas lents et prudents. Elle imaginait sans doute que le Vraal, occupé avec ses compagnons, ne la remarquerait pas Eh bien, elle se trompait ! Il lui réglerait son compte à son heure.

Le mastodonte avança brusquement et vit avec satisfaction le plus petit de ses adversaires chanceler. Il huma l'odeur de sang frais et vermeil. Elle éveilla en lui de vagues images de temps immémoriaux. Le sang des gnomes, pauvre et amer, avait goût d'eau croupie. Celui-là était incomparablement mieux.

La petite femelle s'était beaucoup éloignée des deux autres, à présent. Où était-elle ? Le Vraal ouvrit un de ses yeux latéraux. Enfouis au plus profond des replis de peau écailleuse qui recouvraient les fentes de ses oreilles, les yeux latéraux n'avaient pas une vision aussi nette que les yeux frontaux, mais ils étaient utiles.

Ah, oui, elle était là ! Levant le bras, visant. Le moment était venu d'en finir avec elle. Une simple ondulation de la queue... Dans le mille !

Quand la femelle tomba, l'oiseau noir qui volait au-dessus d'elle croassa et l'homme blessé hurla un mot. Le Vraal ne comprenait que quelques mots. Il ne connaissait pas celui-là. Cependant, il savait reconnaître la peur et la souffrance lorsqu'il les entendait. Un large sourire lui fendit la gueule.

— Jasmine ! appela de nouveau Lief.

Mais Jasmine gisait à l'endroit où elle s'était effondrée, aussi silencieuse et immobile que si elle était morte.

Barda poussa un cri en guise de mise en garde. Lief esquiva de justesse les griffes du Vraal, chancela. Il se reçut sur le dos, heurtant rudement le sol. Il réussit à se hisser sur les genoux. La tête lui cognait. Son souffle n'était qu'un râle. Du sang ruisselait de la longue plaie qu'il avait au bras. Il pouvait à peine tenir son épée.

Barda bondit et refoula le Vraal, qui revenait à l'attaque, fendant l'air de dangereux coups de sabot.

— Lief, haleta le colosse, va-t'en ! Emporte la Ceinture !

— Je ne te laisserai pas, protesta Lief, pantelant. Et Jasmine...

— Fais ce que je te dis ! rétorqua brutalement Barda. Tu es blessé. Tu ne nous seras d'aucun secours. Va-t'en ! Immédiatement !

Enragé, il fit tournoyer sa grande épée, mettant

toute sa force dans son assaut. Le Vraal recula d'un pas... puis d'un autre.

Lief s'éloigna à quatre pattes. Les épines des Boolongs abattus s'enfonçaient dans ses paumes, lui infligeant de cuisantes piqûres. Il parvint à se relever et avança encore un peu. Soudain, il s'arrêta et se retourna.

Fuir était inutile. Où pouvait-il aller ? Où pouvait-il se cacher ? Quand le Vraal en aurait terminé avec Barda, il s'en prendrait à lui. Mieux valait mourir au combat que mourir en battant honteusement en retraite !

Un éclair illumina la clairière, montrant la scène avec une netteté atroce. Barda aux prises avec l'énorme Vraal étincelant, Jasmine, étendue sans vie sur le sol... Et Prin... Prin sortant maladroitement de la rivière, les yeux agrandis par la peur, ses pattes antérieures jointes devant elle, étreignant un magma de couleur pourpre. Alors que Lief l'observait, ébahi, elle déploya ses ailes.

À cet instant, le ciel explosa dans un terrible coup de tonnerre. La terre elle-même parut trembler. Barda chancela, perdit l'équilibre et s'affala sur un genou. Le Vraal bondit, ses yeux orange flamboyant. D'un coup formidable de son immense bras, il fit voler l'épée du colosse. L'acier brillant tournoya dans les airs, une fois, deux fois, et retomba hors de portée de main, sa pointe fichée dans le sol. Le Vraal siffla, souriant, prêt à la mise à mort.

— Barda ! hurla Lief, souffrant le martyre.

Il avança en titubant. Soudain, Prin prit son élan et fondit droit sur le monstre. Elle atterrit en plein sur sa nuque et assura sa prise, enserrant de ses pattes pleines de limon la tête du Vraal, battant furieusement des ailes.

La créature rugit et trébucha. Ses griffes redoutables firent des moulinets autour de sa tête désormais barbouillée de pourpre. Prin sauta à terre et retourna vers la rivière, tendant ses pattes antérieures devant elle.

— Non, Prin ! Sauve-toi dans les arbres ! Il va te voir, dans l'eau ! cria Lief.

Mais il se trompait. Le Vraal était aveugle. Le monstre rejeta le cou en arrière et hurla de rage et de douleur.

Prin se nettoya les pattes avec frénésie.

— C'est la mousse ! hoqueta-t-elle. Il en a plein les yeux et les oreilles ! La mousse verte soigne, la pourpre fait du mal. Les miens me l'ont dit ! Ils me l'ont dit si souvent ! Eh bien, c'est vrai !

Un éclair zébra le ciel, suivi d'un autre coup de tonnerre assourdissant. Puis, comme si le firmament s'était fendu en deux, une pluie dure, glacée, mêlée de grêle se déversa à torrents. Barda se releva avec difficulté et alla récupérer son épée. Lief, reprenant lui aussi ses esprits, se remit en mouvement. Jasmine s'agita, tandis que Kree croassait désespérément.

Mais le Vraal avait eu son compte. Il poussa un dernier rugissement et pivota. Prin s'écarta d'un bond de sa route. Il regagna la rivière à l'aveuglette, y tomba comme une masse et s'éloigna en soulevant des gerbes d'éclaboussures.

✳

Plus tard, trempés, épuisés et transis jusqu'aux os, les compagnons trouvèrent refuge sous un surplomb rocheux qui formait une petite grotte. Au-dehors, la grêle cinglante martelait toujours le sol. Le feu qu'ils avaient réussi à allumer ne les réchauffait guère. Aucun d'eux, pourtant, ne se plaignait.

Barda plongea un bâton dans les flammes pour en faire une torche.

— J'ai cru notre dernière heure venue, déclara-t-il. Cette bête n'aurait cessé le combat qu'après nous avoir tous tués. Lief... comment va ton bras ?

— Beaucoup mieux.

Le garçon était étendu, le dos appuyé contre son sac. Un bandage vert enveloppait son bras blessé – des mottes de mousse qu'ils avaient arrachées dans la rivière et liées avec des tiges de plantes grimpantes.

Ayant constaté les effets de la mousse sur le Vraal, et vu les ampoules atroces qu'elle avait provoquées sur les pattes de Prin, Lief, dans un premier temps, avait refusé le remède. Prin avait fini par le convaincre. Encore verte, la mousse possédait d'étonnants pouvoirs curatifs. Pour le lui prouver, la petite Kin en avait enduit ses cloques et demandé à Jasmine de serrer fort le pansement.

— J'ai souvent entendu les miens parler de la mousse vert-pourpre, expliqua-t-elle tandis que Barda levait la torche pour éclairer les lieux, faisant naître un ballet d'ombre et de lumière. Les gnomes soignent leurs blessures avec. Autrefois, les Kin blessés par les Vraal lui devaient aussi la vie. Quand elle est vieille et détrempée, elle vire au pourpre et s'accroche aux rochers qui bordent la rivière. À ce moment-là, elle adhère à la peau et occasionne des brûlures. Cela dit, ce n'est pas vraiment un poison, comme celui dont les gnomes badigeonnent leurs flèches. Les Vraal n'y sont sensibles qu'au niveau des yeux et des oreilles. Au reste, ils guérissent vite. Notre Vraal sera prêt à reprendre le combat dans quelques jours.

Lief la regarda. Elle lui sourit, les pattes glissées dans sa poche afin d'y puiser chaleur et réconfort.

— Tu as été extrêmement courageuse, Prin, la félicita-t-il. Tu nous as sauvé la vie. Ton peuple serait très fier de toi.

— Et comment ! approuva Jasmine avec chaleur.

Prin se redressa légèrement, flattée.

— Les Kin ont toujours employé la mousse pourpre pour se défendre des Vraal et des Gardes Gris qui pullulaient ici, reprit-elle, visiblement contente de faire étalage de son savoir. Mère et Crenn me l'ont dit bien des fois.

Jasmine fronça les sourcils.

— Dans ce cas, pourquoi Ailsa, Bruna et Merin ne nous l'ont-elles pas signalé ?

— Dans leurs rêves, répliqua Prin, elles n'ont jamais vu rôder un Vraal, pas plus qu'un Garde Gris. Au réveil, ma tribu ne parle que des arbres Boolong. Tous croient que les gnomes constituent désormais l'unique menace des Montagnes Redoutables.

— C'est ça, l'ennui, avec les rêves, déclara Barda, pensif. On ne voit que ce qu'ils nous montrent, et seulement pendant un bref laps de temps. Ainsi, Prin, ton peuple t'a-t-il jamais confié avoir aperçu un voyageur de notre espèce dans les Montagnes ?

La petite Kin secoua la tête.

— Les miens affirment que personne ne vient plus ici, à présent. Que les flèches empoisonnées des gnomes tiennent tout le monde à distance.

— Pas tout le monde, semble-t-il, répliqua tranquillement Barda.

D'un mouvement du menton, il désigna le fond de la grotte et leva haut la torche.

Lief haleta. Des mots à demi effacés se devinaient

sur la pierre pâle et lisse. Écrits, il en aurait juré, avec du sang.

QUI SUIS-JE ?
TOUT EST TÉNÈBRES. MAIS
JE REFUSE DE PERDRE ESPOIR.
JE SAIS TROIS CHOSES :
QUE JE SUIS UN HOMME.
OÙ JE SUIS ALLÉ.
CE QUE JE DOIS FAIRE.
POUR L'INSTANT, C'EST ASSEZ.

11

Mystères

Lief, Barda et Jasmine fixèrent du regard les mots gribouillés sur la paroi de la grotte. Chacun d'eux imaginait l'homme solitaire et souffrant qui, apparemment, avait écrit ce message avec son propre sang.

Pourquoi l'avait-il écrit ? « Pour ne pas devenir fou, peut-être », songea Lief. Pour se convaincre que, dans le cauchemar de terreur et de confusion qu'était devenue sa vie, certaines choses étaient réelles. Que lui-même était réel.

— Qui était-il ? souffla Jasmine. Où est-il, maintenant ?

— Il se peut qu'il soit mort, répondit Barda. S'il était blessé, il...

— Il n'est pas mort ici, en tout cas, l'interrompit Lief. Il n'y a pas d'ossements dans la grotte. Et s'il avait guéri et s'était échappé des Montagnes ?

Il se surprit à l'espérer.

— Il dit : « Je sais où je suis allé », murmura Jasmine. Cela signifie sûrement qu'il est arrivé d'ailleurs, peu de temps avant de rédiger ce texte.

— Peut-être venait-il du Pays des Ténèbres, comme le Vraal, suggéra Prin.

— Impossible. Nul ne s'évade du Pays des Ténèbres, grommela Barda.

Lief se radossa, soudain pris de vertige. Il sentit la main de Jasmine sur son bras et s'efforça de regarder la jeune fille.

— Tu as perdu beaucoup de sang, Lief, dit-elle d'une voix qui lui parut lointaine. Voilà pourquoi tu as des éblouissements. Ne résiste pas au sommeil. Barda et moi monterons la garde. N'aie crainte.

Lief voulut parler – lui dire que, lui aussi prendrait son tour de garde. Lui dire qu'elle était restée inconsciente après avoir été assommée par le Vraal et avait, tout comme lui, besoin de repos. Il voulut la prier de veiller sur Prin. Mais ses paupières refusaient de demeurer ouvertes et ses lèvres de former les mots. Si bien que, pour finir, il se contenta de faire ce qu'elle lui demandait et s'abandonna au sommeil.

❋

La tempête fit rage la nuit durant et le jour suivant. Le tonnerre gronda sans trêve. La grêle se transforma en pluie glacée. Le vent fouetta les arbres Boolong, en déracinant un grand nombre.

Les compagnons n'avaient d'autre choix que de rester pelotonnés dans leur abri, mangeant, se reposant, buvant l'eau du ruisselet qui s'engouffrait par l'entrée de la grotte, montant la garde à tour de rôle. À la tombée de la nuit, ils se tracassèrent à cause du temps qui filait. Le bras de Lief et la patte de Prin cicatrisaient à merveille et ils craignaient que le Vraal ne se remette aussi vite.

— Seulement s'il sait que la mousse verte guérit, leur rappela Prin qui grignotait un cône de Boolong. À mon avis, c'est peu probable. D'après ma mère, les Vraal n'ont que l'intelligence de combattre et de tuer.

À l'évocation de sa mère, sa voix chevrota et elle déglutit un grand coup.

— Nous avons eu une sacrée chance de t'avoir avec nous à l'arrivée du Vraal, déclara Lief au bout d'un moment. Mais ta mère et les autres Kin doivent être inquiets à ton sujet, Prin.

— Ils savent que je suis saine et sauve, répondit doucement la petite Kin. Je suis sûre qu'ils nous ont rendu visite la nuit passée, dans leurs rêves. (Elle regarda autour d'elle.) Et maintenant, c'est de nouveau la nuit. Ils pourraient être là à la minute même. Ils tiendraient tous... car ce n'est qu'un rêve. (Elle courba la tête.) S'ils étaient bel et bien dans cette grotte, je leur dirais que je regrette de leur avoir fait de la peine, murmura-t-elle. Et aussi qu'ils me manquent énormément.

Lief, Barda et Jasmine demeurèrent silencieux. Ils éprouvaient une impression bizarre à l'idée d'être entourés d'esprits Kin qui mouraient d'envie de parler à Prin, mais étaient dans l'incapacité de le faire. C'était triste d'entendre Prin prononcer délibérément à haute voix les paroles qu'elle souhaitait adresser à sa famille, juste au cas où.

Le lendemain matin, le vent était tombé et l'orage avait cédé la place à une pluie régulière et fine. Les voyageurs décidèrent que l'heure avait sonné de se remettre en route.

Ils entreprirent l'ascension des Montagnes. En file indienne, ils suivirent la rivière gonflée, l'oreille aux aguets, à l'affût des gnomes au-dessus d'eux et du Vraal au-dessous. Le sentier, escarpé et glissant, était semé d'embûches. Prin marchait en tête, s'efforçant de leur dégager un chemin praticable. En dépit de tous ses efforts, cependant, les compagnons furent bientôt couverts d'égratignures.

Au bout d'une heure ou deux de marche cauchemardesque, la bruine cessa et de faibles rayons de soleil filtrèrent timidement à travers les nuages.

— C'est toujours ça, grommela Barda.

Puis il tressaillit quand Prin s'arrêta brutalement devant lui et quitta le sentier comme une flèche.

— Que se passe-t-il ? chuchota Jasmine.

— Je ne sais pas ! répondit Barda avec irritation. Prin ! Qu'est-ce que tu fabriques ?

Prin avait disparu dans les arbres et s'agitait furieusement, cassant des branches avec un regain d'énergie et de détermination.

— Venez voir ! les appela-t-elle doucement peu après.

De mauvais gré, se protégeant le visage des épines, les compagnons se coulèrent dans la petite clairière qu'elle avait nettoyée. Soudain, ils se figèrent, écarquillant les yeux.

Au beau milieu, se dressait une hutte ronde en pierre au toit d'écorce. Deux lances de métal rouillé flanquaient la porte basse, chacune couronnée d'une tête de mort grimaçante. Sur la porte elle-même, il y avait deux flèches en acier martelé.

— Je parie que c'est un refuge de gnome, chuchota Prin. Une des cabanes où ils s'abritent lorsqu'ils sont surpris par un orage. Les étrangers n'ont pas le droit d'y pénétrer. C'est ce que signifie ce symbole. Mais...

Elle regarda les compagnons avec crainte.

— Mais celle-ci a été abandonnée voilà très longtemps, la rassura Barda. C'est bien que tu l'aies découverte.

Il tira la porte. Le battant s'ouvrit de guingois. Tous entrèrent à l'intérieur.

S'ils avaient espéré y dénicher des armes, ils en furent pour leurs frais. La petite pièce était festonnée de toiles d'araignée et grouillait de scarabées. À part ça, elle était vide, à l'exception de trois ou quatre chopes et d'un tas noirâtre – sans doute de la nourriture réduite à l'état de poussière.

Ils ressortirent à l'air libre avec soulagement.

— C'est étrange, murmura Prin. Mère m'a dit qu'au temps jadis il y avait des refuges de gnome disséminés partout dans les Montagnes. Un réseau de chemins les reliait entre eux. Or c'est le premier que nous croisons et les arbres l'ont complètement envahi.

Lief observa la sombre forêt silencieuse qui ceignait la clairière.

— Les arbres Boolong ont poussé à l'état sauvage depuis le départ des Kin. Mais ce ne doit pas être l'unique raison pour laquelle les gnomes ont délaissé

leurs refuges et leurs sentiers. Ils auraient certainement cherché à en conserver au moins quelques-uns.

Jasmine, elle aussi, examinait les lieux.

— Il s'est produit autre chose, dit-elle lentement.
Des changements que nous ignorons.

Il y eut un bruit sec derrière eux. Prin jeta nerveusement un coup d'œil par-dessus son épaule, puis tressaillit. Barda arrachait des bandes d'écorce du toit de
la hutte. Déjà, trois gros morceaux gisaient sur le sol.

Prin le rejoignit en hâte.

— Oh, ne faites pas cela ! l'implora-t-elle. Les gnomes vont se fâcher tout rouge. Ne voyez-vous donc
pas leur mise en garde ?

Barda tira un quatrième bout d'écorce.

— Je m'en fiche ! rétorqua-t-il. Ils nous ont d'ailleurs montré qu'ils étaient nos ennemis. Et puis ils
ont bel et bien livré cette hutte à la forêt. Cette écorce
nous sera fort utile.

Prin le dévisagea, perplexe. Lief et Barda haus-
sèrent les sourcils.

Barda sourit de leur étonnement et piétina les
bandes.

— C'est de l'écorce de Boolong, expliqua-t-il. Vous
voyez comme elle est dure ? Pourtant, elle pèse une
plume et est légèrement bombée. Une fois attachés
avec des lianes, ces blocs feront d'excellents boucliers... Des boucliers qui arrêteront n'importe quelle
flèche... et nous protégeront des épines.

Ils consacrèrent la demi-heure suivante à confectionner les boucliers. Ils les essayèrent et se sentirent aussitôt plus à l'abri.

— Tenez-le toujours dans votre main la moins forte, leur recommanda Barda. Ainsi, vous garderez l'autre libre pour combattre. C'est fatigant, au début, mais vous vous y habituerez vite et...

Il s'interrompit. Jasmine s'était levée soudain et portait l'index à ses lèvres.

— J'entends des voix, souffla-t-elle. Et des pieds. Des pieds qui marchent au pas.

Lief et Barda tendirent l'oreille. Ils finirent par distinguer un faible bourdonnement rythmé, une espèce de chant guerrier, venant du pied des Montagnes.

— Des gnomes ! gémit Prin.

Le son se rapprochait, s'amplifiant d'instant en instant.

12

Vers le sommet

Ils s'enfoncèrent au plus profond des arbres et se tapirent en un cercle étroit, brandissant leurs boucliers comme un mur. Les voix et le martèlement de pieds s'intensifiaient. Bizarrement, on n'entendait ni branches craquer, ni armes cingler les feuilles épineuses. La troupe, par ailleurs, marchait sans hésiter.

— Il doit y avoir une route, chuchota Barda.

Quand le chant martial s'estompa peu à peu dans le lointain, les compagnons quittèrent leur cachette et se dirigèrent vers l'endroit d'où était venu le bruit. Ils débouchèrent bientôt sur une piste sinueuse qui grimpait vers le sommet. Les arbres formaient une voûte si dense au-dessus qu'on aurait cru un tunnel.

Lief grogna.

— Nous aurions dû deviner que les gnomes garderaient au moins un sentier dégagé. Cette piste relie sûrement le pied des Montagnes au sommet. Si seulement nous l'avions découverte plus tôt !

— Cette troupe de gnomes était sans doute en bas avant que l'orage n'éclate, déclara Barda. Qu'est-ce qu'ils fabriquaient là ? Quelque trafic louche, je suppose... car il n'y a rien ici hormis la route qui mène au Pays des Ténèbres.

— Mais les gnomes ne sont pas des amis des Gardes Gris ! protesta Prin. Ils les détestent et ne cessent de leur jouer des mauvais tours. Mère m'en a souvent parlé. Ces crânes, près du refuge des gnomes... ce sont probablement ceux de Gardes Gris.

— Beaucoup d'années ont passé depuis l'époque où ta mère vivait dans les Montagnes Redoutables, Prin, répliqua gentiment Lief. Aujourd'hui, les gnomes sont des alliés du Seigneur des Ténèbres.

Prin secoua la tête, incrédule. Cependant, les derniers jours avaient peut-être contribué à la faire mûrir : elle ne discuta pas, ne clama pas qu'elle avait raison. Elle se contenta d'étreindre plus fermement son bouclier et emboîta le pas aux compagnons.

Au coucher du soleil, ils parvinrent enfin au bout de la piste. La température chutait. L'ascension avait été rude, mais sans histoires. Ils n'avaient croisé aucun gnome.

Ils observèrent avec prudence la zone qui s'étendait au-delà du dernier virage. Ils ne décelèrent pas le plus léger signe de vie ni le plus imperceptible mouvement. Il régnait un silence total.

— Où se cachent-ils ? maugréa Barda. Restez sur vos gardes. Il se pourrait que nous nous fourrions dans un piège.

Pourtant, rien ne remua et pas une flèche ne vola quand ils s'avancèrent à découvert, les yeux levés sur l'imposante falaise rocheuse qui leur barrait la route.

L'endroit était dépourvu d'arbres. La terre qu'ils foulaient était nue – du calcaire tassé par le piétinement de nombreux pieds, jonché de flèches abandonnées. La cime des Montagnes, cachée par un nuage tourbillonnant, se dressait encore haut au-dessus de leurs têtes.

Jasmine ordonna à Kree de venir se percher sur son épaule et tira sa dague.

— Ils nous font une farce, chuchota-t-elle. Les gnomes que nous avons entendus n'ont pas pu se volatiliser comme par enchantement. Et ceux qui ont tiré sur nous lors de notre atterrissage doivent se dissimuler quelque part.

L'à-pic s'élevait, sombre et menaçant, devant eux. D'abord, ils ne remarquèrent rien d'étrange, hormis de petits trous qui en perçaient çà et là la surface. Mais en se rapprochant, ils comprirent où étaient passés les gnomes.

Une porte étroite était creusée dans le roc. La partie supérieure en était sombre et le bas, clair. On n'avait

pas cherché à la dérober au regard – la partie infé-
rieure était même décorée de cannelures et, sur le côté,
il y avait un bouton rond en pierre, gravé d'une flèche
en son centre. Cependant, il ne tourna pas. Et ils
eurent beau pousser et tirer, la porte ne bougea pas.

Barda fit courir les doigts sur la pierre et appuya
un peu partout.

— Des tours de gnomes ! grommela-t-il.

— Pourquoi tenez-vous à entrer ? chuchota Prin
avec nervosité. C'est sûrement leur forteresse. Le lieu
où ils mangent et où ils dorment. Où ils gardent leur
trésor.

— Tout juste, Auguste, se renfrogna Barda, qui
s'acharnait toujours.

— Seul le bas est décoré, déclara Lief. Si c'était un
indice ?

Il s'approcha et examina l'espace apparemment vide
en haut de la porte. Le roc sombre et plein d'aspérités
se brouilla sous ses yeux. Pourtant, il aurait juré dis-
cerner des marques qui n'étaient pas naturelles.

Il souleva sa cape et sa chemise pour découvrir la
Ceinture de Deltora. Il nota aussitôt que le rubis avait
viré au rose pâle – signe qu'un danger menaçait. « Je
n'ai pas besoin de ce genre de mise en garde, pensa-
t-il, lugubre. Je sais pertinemment que nous allons
droit dans la gueule du loup. »

Ses doigts glissèrent vers la topaze. Peut-être la
pierre lui aiguiserait-elle une fois encore l'esprit.

Mais avant même de la toucher, il eut une idée. Il se baissa vivement, ramassa une poignée de poussière blanche et en frotta la partie sombre de la porte. Il souffla. La poussière crayeuse rendit les lettres en creux tout à fait lisibles :

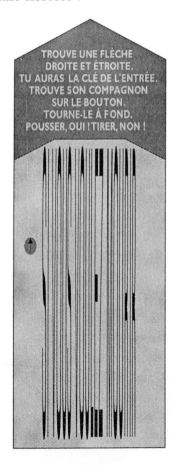

TROUVE UNE FLÈCHE
DROITE ET ÉTROITE.
TU AURAS LA CLÉ DE L'ENTRÉE.
TROUVE SON COMPAGNON
SUR LE BOUTON.
TOURNE-LE À FOND.
POUSSER, OUI ! TIRER, NON !

— Cette comptine est franchement puérile, grommela Jasmine. Elle me rappelle celles que m'apprenait mon père quand j'étais petite. Et puis, ce n'était pas sorcier de faire apparaître les mots ! Ces gnomes n'ont pas l'air très futés.

Barda ramassa une flèche sur le sol.

— Et ils sont négligents, en plus. Si les flèches sont la clé de l'entrée, ils feraient mieux de ne pas les laisser traîner ainsi. Et quant à trouver le compagnon sur le bouton...

Il enfonça la pointe acérée dans la flèche gravée sur le bouton de la porte. Elle entra sans difficulté, comme une clé dans une serrure. Barda avait deviné juste : il y avait bel et bien un trou au fond du dessin. Empoignant la hampe de la flèche, il tourna jusqu'à entendre un léger mais distinct déclic. Il tira son épée.

— C'est ouvert. On y va ?

— Non ! supplia Prin, incapable de se taire davantage. Vous dites que les gnomes ne sont pas intelligents. Or, ils le sont, ils le sont ! Ils adorent les mauvais tours et les traquenards. C'est leur porte. Si nous la franchissons, nous mourrons. J'en donnerais ma patte à couper !

— Nous devons nous introduire dans leur forteresse, Prin, déclara Lief. Les gnomes y ont caché l'objet que nous cherchons. Il est inutile que tu nous accompagnes. Retourne faire le guet sur la piste.

Il tira son épée à son tour et adressa un signe de tête à Barda. Le colosse poussa la porte. Dans un grincement discordant, le gros bloc de pierre se mit à pivoter vers l'intérieur.

À cet instant, Lief crut entendre un gloussement étouffé au-dessus d'eux. Il retint Barda.

— Attends ! siffla-t-il.

Jasmine, elle aussi, avait entendu le rire. Les yeux levés, elle scrutait intensément la paroi rocheuse.

— On ne voit personne, murmura-t-elle. Pourtant, je suis sûre et certaine d'avoir entendu un ricanement.

— Peut-être un cri d'oiseau, supposa Barda.

Indécis, il plaquait toujours la paume sur la porte. Kree croassa.

— Ce n'était pas un oiseau, affirma Jasmine, catégorique. Quelqu'un a ri. De nous.

Ils restèrent un moment immobiles et silencieux, l'oreille tendue. Mais les Montagnes demeurèrent muettes, comme si elles attendaient.

Barda haussa les épaules, étreignit son épée et poussa de nouveau la porte. Le grincement s'amplifia tandis que le bloc de pierre coulissait vers l'intérieur. Une fente minuscule apparut entre le montant et la paroi rocheuse. Au-delà, une lumière tremblota.

Jasmine lorgna dans l'interstice.

— Il n'y a pas âme qui vive, souffla-t-elle. Je distingue une salle d'où part un tunnel éclairé. (Elle regarda ses compagnons, son petit visage plein de méfiance, sa dague étincelant dans sa main.) Entrons, conclut-elle, la mine farouche. Et alors, celui qui s'est moqué de nous s'en mordra les doigts. (De l'épaule, elle poussa la porte pour l'ouvrir davantage, puis se tourna vers Lief.) Tu viens ?

Lief s'avança. D'un bond, Prin se jeta devant lui.

— Non ! l'implora-t-elle. Non, Lief ! Toi, du moins, n'entre pas !

Désarçonné, Lief chancela, perdit l'équilibre et tomba lourdement.

Sonné, il resta allongé par terre, contemplant la porte. Les cannelures paraissaient luire. Soudain, il se rendit compte que c'étaient des mots. Il cilla, n'en croyant pas ses yeux. Les lettres étaient si étirées et rétrécies qu'il n'avait pas réalisé qu'elles étaient davantage qu'une simple décoration. Mais, en les regardant d'en bas, il en déchiffra le sens.

SI VOUS VOULEZ MOURIR.

— Lief, je suis désolée...

Prin se pencha sur lui, anxieuse.

Barda les regarda. Mais Jasmine, secouant la tête avec impatience, s'engouffra dans l'ouverture.

— Jasmine... balbutia Lief. N'entre pas ! Jasmine ! C'est un piège !

Il bondit et la saisit par le poignet à l'instant où, poussant un hurlement, elle disparaissait dans une fosse.

13

Dans la gueule du loup

Jasmine oscilla désespérément. Seul l'étau dans lequel Lief enserrait son poignet l'empêchait de tomber dans le vide.

La fosse était profonde. Lief, cependant, apercevait une lueur blanchâtre tout au fond. Il eut un haut-le-cœur quand il comprit que c'étaient des ossements – ceux d'autres intrus, sans doute. Les gnomes avaient probablement épié les compagnons par les trous percés dans la roche. L'un d'eux avait ri à l'idée des trois nouvelles victimes de cette farce mortelle. De colère, Lief serra les mâchoires.

Barda s'agenouilla près de lui et, joignant leurs forces, ils hissèrent Jasmine à la surface.

— Procédons à l'inverse de ce que dit la comptine, déclara Lief. Nous devons tirer la porte, et non la pousser, si nous voulons entrer sans danger.

Ils refermèrent la porte, puis l'ouvrirent de nouveau avec la flèche et tirèrent. L'immense bloc de pierre pivota vers l'extérieur aussi facilement qu'il l'avait fait vers l'intérieur.

Barda ramassa une poignée de flèches et les lança dans l'obscurité. Elles touchèrent le sol avec un cliquetis métallique.

— C'est bien ce que je pensais, conclut Lief. La fosse est habituellement recouverte. C'est seulement quand on pousse la porte vers l'intérieur que le couvercle s'escamote.

— Un stratagème diabolique, maugréa Barda. Si toi et moi n'avions pas hésité, Lief...

— Je vous avais prévenus que les gnomes étaient intelligents, l'interrompit Prin. Ils sont intelligents, ils détestent les étrangers et ils raffolent des plaisanteries cruelles. Nous devons nous montrer extrêmement prudents. S'ils nous épient toujours, ils savent à présent que leur ruse a échoué. Ils vont tenter autre chose.

Cette fois, aucun des compagnons ne discuta.

Ils franchirent la porte et tapèrent la terre avec leurs boucliers, l'oreille aux aguets. Il régnait un silence de mort. Devant eux sinuait le tunnel qu'ils avaient distingué de l'entrée.

Ils s'y enfoncèrent. Seules Jasmine et Prin pouvaient se tenir debout, et encore devaient-elles courber la tête. Bientôt, le tunnel vira à angle droit et tourna encore presque aussitôt. Puis ils parvinrent à un endroit où il se divisait en trois.

— À gauche, à droite ou tout droit ? chuchota Lief.

— Impossible de deviner quel est l'embranchement le plus sûr, grommela Barda. À mon avis, nous devrions choisir celui qui va tout droit. Dans les deux autres, nous serons obligés de ramper.

Ils poursuivirent leur route dans un silence total. Soudain, le tunnel fit un coude vers la droite.

— Peut-être les gnomes nous croient-ils au fond de la fosse, chuchota Jasmine.

Après le tournant, la lumière baissa d'intensité.

— Peut-être, répondit Barda, farouche. Mais je ne compterais pas trop là-dessus. D'après moi, ils...

Il se tut et s'arrêta net. Quelques silhouettes indistinctes leur barraient le chemin. Barda et Lief levèrent leurs épées. Un cliquètement leur répondit, preuve que leurs adversaires aussi étaient armés. Manifestement, ils portaient également des boucliers.

— Gnomes défunts, nous venons en amis ! cria Barda. Nous vous prions simplement d'écouter ce que nous avons à dire. Nous poserons nos armes si vous posez les vôtres.

Seul lui répondit le scintillement de l'acier.

— Il ne faut pas leur laisser croire que nous avons peur ! souffla Jasmine.

Lentement, les compagnons se remirent à avancer. Les silhouettes bougèrent, se dirigeant vers eux, faisant un pas quand ils en faisaient un.

— Pourquoi restez-vous silencieux ? rugit Barda. Désirez-vous vous battre ? Si oui, nous vous attendons de pied ferme.

Il pressa l'allure. Derrière lui, Jasmine et Lief allongèrent la foulée.

Prin, qui s'efforçait de se maintenir à leur hauteur, poussa un gémissement étouffé.

En un éclair, les silhouettes furent quasiment sur eux, toujours floues, mais dangereusement proches. Et elles étaient au nombre de quatre, constata Lief en empoignant son épée.

Un combat au corps à corps. Il ne s'était pas attendu à ça. Mais il était prêt. Il leva son bouclier. Un de ses adversaires fit de même. Et soudain, le garçon comprit.

— Barda, c'est un miroir ! Un miroir fixé au mur ! Ce tunnel est un cul-de-sac !

Un frisson glacé lui parcourut l'échine quand il perçut un cliquetis dans son dos. Il pivota, bouscula Prin, se ruant vers la porte qui s'abaissait du plafond.

Trop tard. Lorsqu'il l'atteignit, la porte de métal était hermétiquement close. Ils étaient prisonniers, enfermés dans une cellule sans air. Une cellule d'où on ne pouvait pas plus s'enfuir que d'une tombe.

✳

Des heures plus tard, ils étaient pelotonnés dans l'obscurité. Ils avaient éteint la torche fixée à la paroi – ils ne pouvaient se permettre de gaspiller l'oxygène.

— Il y a certainement une issue, insista Lief. Il doit y en avoir une !

Il tanguait de fatigue.

— Sûr que les gnomes vont rappliquer, maugréa Barda. Ne serait-ce que pour se moquer de nous. Car à quoi bon faire une blague s'il n'y a personne pour en rire ? Cela nous donnera une chance... car s'ils peuvent entrer, nous pourrons sortir !

Jasmine hocha la tête.

— Nous devons les attendre de pied ferme et avoir un plan. Mais quand viendront-ils ? Et comment ? Si seulement nous le savions !

— Si nous étions au bosquet, nous les visiterions en rêve, déclara une petite voix derrière eux.

Ils se retournèrent. Ils avaient presque oublié Prin. La Kin était tapie dans un coin, ses yeux agrandis par la peur, ses pattes jointes sur sa poitrine.

— Si nous étions au bosquet, avec ma tribu, nous pourrions boire l'eau de la source, nous souvenir des

112

gnomes et rêver d'eux, où qu'ils soient, répéta-t-elle doucement. Nous les avons vus. Vu leur visage... (Sa voix s'estompa et elle se mit à trembler comme une feuille. Entendant Lief étouffer une exclamation, elle se couvrit la tête, honteuse.) Désolée, chuchota-t-elle. Je n'ai jamais été enfermée entre quatre murs. Je n'aime pas vraiment ça.

Filli babilla nerveusement. Jasmine rejoignit Prin et l'enveloppa de son bras.

— N'aie pas honte, murmura-t-elle. Moi aussi, je redoute d'être enfermée. Je le redoute plus que tout au monde.

— Tu es très fatiguée, petite Kin, déclara Barda avec une gentillesse bourrue. Allonge-toi et dors, à présent. Tu peux rêver même sans l'eau de la source.

— Mais avec elle, les rêves seront bien plus efficaces ! s'exclama Lief. (Amusé de son effet, il brandit sa gourde.) Vous avez oublié ? J'avoue que je n'y pensais plus moi-même, avant que Prin n'en parle. Depuis notre départ du bosquet, nous avons bu l'eau des rivières. Nos gourdes sont toujours pleines de l'eau de la Source des Songes !

✳

Du fond des brumes du sommeil, le rêve gagna lentement en netteté. Une lumière vacillante, des couleurs dansantes, des murmures assourdis, le piétinement de pieds innombrables, des cliquetis, des tintements... Et une voix énorme, assourdissante, atrocement discordante, qui résonnait, résonnait...

— DAVANTAGE ! DONNEZ-M'EN DAVANTAGE !

Lief ouvrit les yeux en grand et, révulsé, contempla l'être cauchemardesque devant lui. Il recula en titubant et se pressa contre la paroi rocheuse. « Je suis en train de rêver, se rappela-t-il farouchement. Rêver ! Je ne suis là qu'en esprit. Ce monstre ne me voit pas ! »

Pourtant, son cœur battait à se rompre et il se sentait nauséeux. Lorsqu'il s'était étendu pour dormir, il n'aurait pas imaginé assister à pareil spectacle.

Il s'était attendu à voir une caverne, oui, bien que moins vaste. Le toit devait sans doute s'élever jusqu'au sommet des Montagnes.

Il s'était attendu à voir un trésor, oui, mais beaucoup plus modeste. Or et joyaux emplissaient tout l'espace, formant des collines et des vallées semblables aux dunes des Sables Mouvants.

Il s'était attendu à voir les gnomes qu'il avait aperçus du ciel, oui, mais il n'aurait pas cru les voir ramper, détaler, se ratatiner, trembler de peur.

Quant au mastodonte visqueux ramassé au centre de la caverne, avec ses yeux méchants et cupides, ses pieds griffus qui renversaient négligemment les pierres précieuses et les lingots empilés... jamais il n'aurait pu concevoir pareille abomination, même dans ses pires cauchemars.

C'était un crapaud gigantesque. La bête immonde qu'abritaient les Montagnes Redoutables.

14

Gellick

es gnomes rampaient autour du géant, affairés à recueillir dans de grands bocaux la bave qui suintait de sa peau, telles d'épaisses gouttes de sueur graisseuses. Tous portaient des gants et veillaient avec soin à ne pas entrer en contact avec le liquide.

« Cette bave doit être toxique », songea Lief. Puis, brusquement, il comprit que c'était sans doute là le venin dont les gnomes enduisaient leurs flèches.

Deux gnomes entrèrent au pas de course, ployés sous le poids d'un immense saladier empli à ras bord de ce qui semblait être des baies noires et luisantes.

Ils s'agenouillèrent devant le crapaud, la tête inclinée. La longue langue rouge darda et s'enroula dans le magma noir, saisissant d'un coup le quart du contenu du récipient. Quand il porta la nourriture à son énorme gueule, en éparpillant une partie sur les gnomes et sur le trésor, Lief eut un haut-le-cœur. Ce n'étaient pas des baies mais des mouches. Des milliers – des dizaines de milliers – de mouches dodues et mortes.

En un clin d'œil, le saladier fut vide. Le crapaud poussa un grondement rauque de colère.

— DAVANTAGE ! VITE !

Les deux gnomes agenouillés se recroquevillèrent, se regardant avec crainte.

— Pardonnez-nous, ô grand Gellick, dit celui de gauche, un vieillard ratatiné vêtu d'une veste brune en loques. Mais... cela risque de prendre un certain temps. Les réserves des grottes de reproduction sont épuisées.

— COMMENT ÇA, ÉPUISÉES ? À QUI LA FAUTE ? crissa le monstre.

Le vieux gnome, tremblant de tous ses membres, se força à parler.

— C'est seulement parce que vous avez mangé aujourd'hui plus que d'habitude, ô grand Gellick, chevrota-t-il. Nous avons été pris de court. Nous...

Il hurla quand le crapaud cracha sur lui sans crier gare. Il tomba à terre, se tordant de douleur. Son compagnon, terrifié, tomba face contre terre à côté de lui et l'étreignit tandis qu'il rendait son dernier soupir.

Les autres gnomes observaient la scène, hébétés. Sur certains visages, Lief lut du soulagement mêlé de culpabilité – les foudres du crapaud étaient tombées sur le vieillard, pas sur eux. D'autres montraient du chagrin et de la colère. Toutefois, la plupart n'affichaient qu'un vague désespoir.

— Les choses dans les Montagnes Redoutables ne sont pas ce que nous pensions, dit la voix de Barda derrière lui.

Surpris, Lief pivota. Barda et Jasmine se tenaient près de lui. Il les distinguait parfaitement, même s'ils étaient flous et si leurs contours paraissaient trembler. Jasmine, pour une fois sans Kree et Filli – ni l'un ni l'autre n'avait bu l'eau de la source –, était pâle de dégoût et de rage.

— C'est ignoble, marmonna-t-elle. Ce Gellick règne sur les gnomes comme le Wennbar régnait sur les Wenn, dans les Forêts du Silence. Mais il est cent fois pire. Car il ne tue pas pour se nourrir, il tue par pure malveillance.

— La pierre que nous cherchons doit se trouver là, déclara Barda. Comment la repérer ? La caverne est pleine à craquer de gemmes.

Lief secoua la tête, abasourdi d'avoir oublié leur quête, ne fût-ce que brièvement. N'empêche... il l'avait bel et bien oubliée. Gellick avait retenu toute son attention.

À présent, il sentait que la Ceinture de Deltora s'était réchauffée contre sa peau. La cinquième pierre, nul doute, était dans cette caverne. Mais où ?

— Nous ne pourrons trouver la pierre si nous ne sortons pas d'abord de la prison où ils nous ont enfermés ! chuchota Jasmine.

— Pour l'instant, contentons-nous de patienter et de tendre l'oreille, répliqua Barda. Voilà pourquoi nous sommes là.

Ils regardèrent le gnome sanglotant traîner le cadavre du vieillard hors de la salle. Peu à peu, les autres gnomes retournèrent à leurs bocaux. Lorsque l'un était plein, deux gnomes l'emportaient, franchissant une porte près de laquelle se tenaient les compagnons.

— Nous étions jadis un peuple fier, grommela l'une d'un air dégoûté. Ce trésor était nôtre. Les Montagnes étaient belles, luxuriantes et à nous. Désormais, nous sommes réduits en esclavage au milieu d'un nid d'épines et élevons des mouches pour satisfaire l'appétit d'un crapaud.

— TU AS DIT QUELQUE CHOSE, GLA-THON ?

La voix discordante emplit la caverne.

L'interpellée pivota en hâte.

— Non. Non, ô grand Gellick. Ou, du moins, si je l'ai fait, c'était seulement pour dire que les intrus – ceux dont nous vous avons parlé – sont bouclés à double tour dans le tunnel-tombe et ne s'échapperont pas.

— ILS DOIVENT MOURIR !

Un gnome s'avança, lissant sa barbe rousse.

— Oh, ils mourront, assurément, monseigneur !
s'écria-t-il. Les plus simplets de notre peuple les ont
épiés, s'amusant de leurs pauvres efforts pour s'évader. Cependant, le divertissement est terminé, maintenant. Ils ont éteint la lumière. Demain matin, ils
seront morts par asphyxie. Nous les emmènerons
alors dans les grottes de reproduction et les mouches
s'en régaleront. (Rayonnant, il fit une profonde révé-
rence.) Et vous, ô grand Gellick, vous délecterez bientôt des mouches, ajouta-t-il. Voilà qui est satisfaisant,
n'est-ce pas ?

Le crapaud géant parut presque sourire.

— Tu es intelligent, Ri-Nan, gronda-t-il. Mais pas
assez, semble-t-il, pour veiller à ce que ma nourriture
me soit servie en temps et en heure, comme le pré-
voyait notre marché.

Sa voix était basse, à présent, et voilée. D'une certaine façon, c'était encore plus effrayant que ses rugis-
sements. Ses yeux luisaient de méchanceté. Le gnome
à la barbe rousse battit en retraite, son sourire se
figeant en un rictus de terreur.

— Tu mérites une punition, Ri-Nan ! crissa Gellick. Cependant, tu m'es utile. Peut-être te pardonne-
rai-je. Ou peut-être pas. Je vais y réfléchir. En
attendant, conduis cette bande de misérables esclaves
dans les grottes de reproduction et activez-vous le
reste de la nuit. Et demain, il y aura des mouches en
grand nombre... ou il t'en cuira !

Ri-Nan fila vers la porte, trébuchant, dans sa précipitation, dans les tas d'or et de joyaux. D'un geste, il ordonna aux gnomes de le suivre. En un éclair, la caverne redevint paisible.

Satisfait, le monstre s'installa plus à son aise et happa d'un coup de langue quelques mouches oubliées sur ses lèvres. Il ferma à demi les paupières et inclina sa tête massive.

À cet instant, Lief aperçut la pierre vert pale enfoncée dans son front et, avec un frisson d'horreur, il comprit que c'était l'émeraude qu'ils cherchaient.

L'émeraude. Le symbole de l'honneur. La cinquième pierre précieuse de la Ceinture de Deltora.

✳

Les compagnons s'éveillèrent dans l'obscurité pesante de leur cellule. C'était comme se réveiller d'un cauchemar – un cauchemar que tous avaient partagé. Mais ce n'était pas un cauchemar. Tout ce qu'ils avaient vu était réel.

— Avez-vous découvert un détail qui puisse nous être utile ? demanda Prin en les entendant remuer.

Jasmine se mit debout tant bien que mal.

— Nous avons au moins appris qu'avant d'éteindre la torche nous étions épiés par des gnomes. Comment ? Mystère. Je suis certaine qu'il n'y a pas le moindre interstice dans cette maudite cellule !

Elle se mit à examiner à tâtons les parois, le plafond et le sol, laissant à Barda et à Lief le soin de mettre Prin au courant. Ils le firent avec autant de ménagement que possible. Lorsqu'ils eurent achevé leur récit, toutefois, la petite Kin tremblait de nouveau de peur.

— Je n'ai jamais entendu parler d'une horreur pareille, chuchota-t-elle. Mon peuple n'en sait rien. Ainsi, voilà pourquoi les refuges des gnomes et les sentiers sont envahis par la végétation et pourquoi les gnomes ont ce teint maladif. Ils passent quasiment leur vie sous terre, à recueillir ce poison pour leurs flèches et à servir le crapaud.

— Tu as raison, je pense, marmonna Lief.

Ils entendirent Jasmine trépigner de colère.

— Je ne trouve rien ! siffla-t-elle. Pas la plus petite fissure !

— S'il y avait une fissure, nous sentirions de l'air, répliqua Lief d'un ton morne. Ce qui n'est pas le cas.

— Mais ils nous observaient ! s'entêta Jasmine. Et ils étaient nombreux, apparemment, à rire de nos pauvres efforts pour nous évader. À en croire cette gnome, Gla-Thon, on avait l'impression qu'ils nous regardaient par une fenêtre !

Barda étouffa un cri et se mit debout.

— Ma foi, pourquoi pas, en effet ?

— Que veux-tu dire ? s'étonna Jasmine. Il n'y a pas de fenêtre ici !

— Pas de fenêtre que nous puissions voir. (Barda

posa les doigts sur le miroir.) J'ai entendu un jour un voyageur raconter un prodige qu'il avait vu : un verre qui était un miroir d'un côté et une vitre de l'autre. J'ai pensé qu'il inventait une histoire à dormir debout pour se faire payer quelques verres à la taverne. J'ai peut-être été injuste.

— Il n'y a qu'une façon de le savoir, déclara tranquillement Lief.

— Tout à fait, acquiesça Barda. Et le plus tôt sera le mieux. Sortez vos armes et reculez.

Il plaça son bouclier contre le miroir, prit de l'élan et donna un magistral coup de sa lourde botte. Le verre vola en éclats et les débris dégringolèrent dans une pièce attenante à la cellule. Une lumière aveuglante se déversa à flots par la brèche – ainsi que de l'air et une odeur si putride que les compagnons suffoquèrent.

Jasmine toussa et pressa son bras contre son nez.

— Qu'est-ce que c'est ? Et quel est ce bruit ?

Mais déjà leurs yeux s'habituaient à la vive clarté. L'estomac retourné, ils virent que la pièce contenait d'immenses cages grillagées le long des murs. Et, dans chacune d'elles, des millions et des millions de mouches voletaient en bourdonnant autour de tas puants de nourriture en décompostion.

— C'est une des grottes de reproduction, dit Lief. Partons vite. Les gnomes risquent d'arriver d'un instant à l'autre.

Ils filèrent vers la porte et se glissèrent dans un tunnel sombre. L'odeur infecte flottait encore dans l'air. Ils entendaient des voix résonner quelque part sur leur droite. Ils tournèrent à gauche. Soudain, une porte en face d'eux s'ouvrit à la volée. Deux gnomes la franchirent en trombe, chacun portant une extrémité d'une grande boîte en bois.

Les compagnons se figèrent, puis entreprirent de battre en retraite.

Un des gnomes – Lief le reconnut comme étant Ri-Nan – regarda autour de lui et les aperçut. Il hurla, lâchant la boîte. Son compagnon trébucha et rugit de colère quand celle-ci heurta le sol et s'ouvrit sous le choc. Un flot hideux et brillant de mouches mortes s'en déversa.

— Les intrus s'enfuient ! brailla Ri-Nan.

Rejetant la nuque en arrière, il poussa le même gloussement haut perché que les gnomes qui avaient attaqué les Kin. Aussitôt, le tunnel résonna du martèlement de pieds innombrables venant des deux directions.

— En arrière ! ordonna Barda.

Ils coururent vers la grotte de reproduction qu'ils avaient quittée peu avant. Le temps qu'ils l'atteignent, les deux extrémités du tunnel grouillaient de gnomes. Brandissant leurs arcs, ils convergeaient vers eux.

Des flèches volaient déjà lorsque Lief et Barda poussèrent Prin à l'intérieur de la grotte et se précipitèrent à sa suite. Ils étaient sains et saufs ! Jasmine, elle, n'eut pas cette chance. Alors qu'elle franchissait la porte d'un bond, elle lâcha un cri. Les gnomes grondèrent de triomphe.

La jeune fille chancela et s'affala dos à la porte, la refermant du même coup. Barda bondit pour mettre le verrou. Lief éloigna Jasmine qui glissait à terre, arrachant de sa paume la flèche frémissante.

15

Les Gnomes Redoutables

La blessure était légère. La flèche était juste entrée sous la peau. Pourtant Jasmine, étendue les paupières serrées, haletait de douleur tandis que le poison déferlait dans ses veines. Lief et Barda étaient accroupis à côté d'elle, impuissants et accablés de chagrin. Filli geignait. Kree poussait des cris rauques.

— Qu'est-ce que vous attendez ? brailla Prin. Donnez-lui la potion ! La potion magique qui m'a sauvée !

— Il n'en reste plus une goutte, rétorqua Barda. C'est toi qui l'as finie.

Prin se recroquevilla, tremblante.

Jasmine ouvrit les yeux.

— N'écoute pas Barda. Tu n'as pas de reproches à te faire, Petite, chuchota-t-elle. Il fallait te sauver.

Nous le devions à ton peuple. Il n'existe qu'une Prin au monde.

— Il n'existe qu'une Jasmine au monde, marmonna Barda, le visage tendu sous l'effet de la souffrance.

Les gnomes frappaient la porte à coups de pied et de poing. Barda leva la tête.

— Ils vont le payer cher ! lança-t-il avec hargne.

Il se redressa, son épée étincelant dans sa main, le regard brûlant.

— N'essaie pas de... de me venger, murmura Jasmine. Réfléchissez plutôt à un moyen de vous échapper. La quête... la Ceinture de Deltora... importent davantage que...

Elle grimaça de douleur. Ses paupières se fermèrent. Filli gémit pitoyablement. Lief eut l'impression que son cœur se brisait.

— Le venin du crapaud est en train de la tuer ! hoqueta Prin dans un sanglot.

Le venin.

Poussant un cri, Lief ôta brusquement la Ceinture de Deltora de sa taille. Prin haleta à travers ses larmes. Barda le regarda, les sourcils froncés.

— Lief, que fais-tu ?

Lief, sans se soucier d'eux, pressa le médaillon qui contenait le rubis contre la main blessée de Jasmine, refermant les doigts de la jeune fille dessus, espérant envers et contre tout, alors qu'une phrase de *La Cein-ture de Deltora* résonnait dans sa tête.

†   **Le rubis, symbole du bonheur, rouge tel le sang... protège des mauvais esprits et est l'antidote du venin de serpent.**

Si le rubis possédait le pouvoir de combattre le venin de serpent, peut-être serait-il aussi efficace contre la bave de Gellick. La chance était mince. Mais c'était la seule.

Il croisa le regard de Barda et vit que le colosse comprenait enfin ce qu'il tentait de faire.

— Elle respire encore. Mais il nous faut du temps, marmonna-t-il.

Barda hocha le menton et se dirigea vers la porte. Sans souffler mot, Prin saisit la dague de Jasmine et se coula à côté de lui. Le colosse lui jeta un coup d'œil et voulut l'éloigner d'un geste. La petite Kin secoua la tête et ne bougea pas.

Les gnomes, à présent, hurlant sous l'effort, frappaient la porte avec un objet lourd. Le verrou cliquetait, le bois commençait à se fendre. Il n'allait plus tenir longtemps.

Barda, farouche, était prêt à en découdre. Les yeux agrandis de terreur, Prin tressaillait à chaque coup de massue qui ébranlait la porte, mais elle ne reculait pas d'un pouce.

Jasmine reposait, immobile comme la mort, ses doigts repliés sur la Ceinture. Lief se pencha vers elle.

— Jasmine, lui souffla-t-il à l'oreille, lutte contre le poison ! Lutte ! Le rubis est dans ta paume. Le rubis t'aide !

Le visage de Jasmine demeura impassible. Pourtant, Lief crut voir remuer très légèrement ses doigts brunis par le soleil. Elle l'avait entendu. Il en était certain.

Boum ! Un autre coup ébranla la porte, suivi du bruit du bois qui éclatait. Kree croassa une mise en garde et vola jusqu'à Barda. Prin hurla de terreur. Lief se retourna. La porte tremblait violemment. Ses gonds étaient en train de céder. Le verrou pendait à demi. Encore un coup ou deux, et...

Jasmine soupira – un soupir profond et bas. Lief la regarda et haleta de surprise. Une lueur rouge brillait entre ses doigts.

Le rubis ! La pierre mettait sa magie en œuvre et montrait son pouvoir.

Les yeux de Jasmine s'ouvrirent, ensommeillés. Le cœur de Lief bondit dans sa poitrine. Ils étaient clairs. La souffrance les avait désertés. Mais la jeune fille était faible, terriblement faible.

— Lief ! rugit Barda. Ils ont enfoncé la porte !

Lief plaça le bouclier de Jasmine devant elle afin de la protéger et courut à la porte. Par les trous béants, il aperçut les faces souriantes des gnomes et l'éclat des haches.

Barda faisait des moulinets avec son épée, en cinglant les brèches à mesure qu'apparaissaient des pieds et des mains. Prin maniait bravement la dague de Jasmine. Jusqu'à présent, ils avaient empêché les gnomes d'entrer. Mais quand ce qu'il restait de la porte s'effondrerait, l'ennemi déferlerait comme un fleuve par-dessus une digue rompue et les taillerait en pièces.

— Prin ! cria Lief. Va auprès de Jasmine. Elle revient à la vie, mais lentement. Protège-la, ainsi que filli, si tu le peux.

Il prit sa place et Prin se hâta d'exécuter ses ordres. Barda, le visage ruisselant de sueur, sachant que Jasmine était toujours en vie, se battait avec une ardeur décuplée.

Une voix coléreuse glapit de l'autre côté de la porte. Une voix que Lief reconnut.

— Vous ne pouvez gagner, hommes stupides ! Si vous vous rendez maintenant, nous ferons preuve d'indulgence. Nous vous tuerons rapidement. Sinon, vous mourrez à petit feu.

C'était Gla-Thon, la gnome qui s'était plainte d'avoir à servir Gellick comme une esclave. Lief s'humecta les lèvres.

— Crains-tu, Gla-Thon, la fureur de ton maître le crapaud si tu perds ton temps avec nous au lieu de ramasser des mouches ? Ah, qu'elle est loin l'époque où les gnomes étaient leurs propres maîtres !

— Et qu'elle est loin, l'époque où les salles des Montagnes Redoutables n'empestaient pas comme des décharges ! enchaîna Barda, entrant dans son jeu. Et où leur trésor, convoité de tous, n'était pas recouvert de bave de crapaud !

— Bouclez-la ! hurla Gla-Thon, furieuse.

— Le grand crapaud nous a rendus forts ! cria une autre voix – celle de Ri-Nan. Il est venu à nous et nous a offert sa protection contre le Seigneur des Ténèbres et ses Gardes Gris. Il nous a permis d'utiliser son poison, sous certaines... conditions. De dures conditions, certes, mais nous les avons acceptées avec joie. Le venin de Gellick a fait de nous une race puissante !

— Parlons-en ! railla Lief. Grâce au crapaud, vous avez chassé les Kin, si bien qu'à présent vos sentiers et vos refuges sont envahis par les arbres Boolong, une cachette idéale pour le Vraal. Gellick vous a réduits en esclavage, de sorte que vous travaillez jour et nuit pour lui, mourant à demi de faim et craignant sans cesse pour vos vies. Le beau marché que vous avez conclu là, en effet !

Derrière la porte, ce fut le silence. Lief et Barda se regardèrent. Allaient-ils remporter cette joute verbale ?

Lief croisa les doigts.

— Nous pourrions vous aider à vous débarrasser de votre tyran, poursuivit-il. Ne souhaitez-vous donc pas recouvrer votre liberté ?

Au bout d'un long moment, Gla-Thon parla, d'une voix qu'assourdissait le désespoir.

— Aucune arme ne peut tuer Gellick. Sa peau est trop épaisse pour être percée par une épée ou par des flèches. Même nos haches sont inefficaces. Et ceux qui ont osé se battre pour reconquérir notre liberté l'ont payé de leur vie.

— Nul ne peut survivre au venin de Gellick ! s'écria une voix âgée. Moi, Fa-Glin, chef des Gnomes Redoutables, je vous le dis. Vous avez vu de vos yeux ce qui est arrivé à votre compagne... alors que sa blessure est grosse comme une tête d'épingle.

— Que m'est-il donc arrivé ?

La voix retentit, forte et rieuse.

Les gnomes en restèrent muets de stupéfaction. Lief et Barda se retournèrent. Jasmine s'avançait, appuyée à l'épaule de Prin. Malgré sa pâleur et sa faiblesse, elle leur sourit et tendit sans un mot la Ceinture de Deltora. Lief la fixa rapidement à sa taille et la recouvrit de sa chemise.

— Le venin ne m'a fait aucun mal, Fa-Glin ! cria Jasmine. Il ne peut rien contre notre magie. Le crapaud ne peut pas nous tuer. Nos armes, en revanche, sont assez puissantes pour le détruire. (Elle se tut, chancelante. Puis, au prix d'un effort surhumain, elle redressa le menton et ajouta d'une voix aussi assurée qu'avant :) Voulez-vous de notre aide ? Si c'est le cas, posez vos armes et déléguez trois représentants auprès de nous. Alors, nous parlerons.

✻

Barda, Lief et Jasmine discutèrent avec Gla-Thon, Ri-Nan et Fa-Glin pendant plus d'une heure. D'un coin de la grotte, Prin, Filli et Kree les observèrent en silence. Aucun d'eux ne faisait confiance aux gnomes. Et le fait que Fa-Glin fût vêtu d'une veste à franges en peau de Kin ne les incitait guère à changer d'avis.

Tout d'abord, la discussion fut houleuse. Mais, ainsi que l'avait supposé Lief, au fond de son cœur Gla-Thon était déterminée à ne pas rater l'occasion de vaincre Gellick. Fa-Glin, stupéfait de la guérison magique de Jasmine, la soutenait. Et enfin, Ri-Nan lui-même se laissa convaincre. Les six parvinrent à un accord : avec l'aide des gnomes, les visiteurs tueraient Gellick. En échange, ils seraient libres et emporteraient la pierre vert terne enchâssée dans le front du crapaud.

Fa-Glin considéra les compagnons avec suspicion.

— Cela paraît bien peu, murmura-t-il. Et comment se fait-il que vous sachiez où se trouve la pierre ? Voilà à peine plus de seize ans qu'elle est là.

— Nous avons les moyens d'apprendre ce genre de choses, s'empressa de répondre Jasmine. N'avez-vous pas constaté par vous-mêmes combien notre magie est puissante ?

— J'ai entendu dire que les pierres de crapaud ont le pouvoir de tisser des sortilèges formidables. Et celle-ci est très grosse. (Gla-Thon dévisagea les compagnons.) C'est pourquoi vous la voulez, sans doute ?

Lief, Barda et Jasmine hochèrent la tête. Ils se rendaient bien compte cependant que Fa-Glin était sceptique. Visiblement, il hésitait à leur accorder sa confiance.

— Gellick dort, pour le moment, déclara Ri-Nan. Il est interdit d'entrer dans la caverne au trésor à cette heure-ci. Si le crapaud se réveille...

— Le crapaud ne se réveillera pas, assura Barda. Et si tel est le cas, ce sera nous qui en ferons les frais. Nous pénétrerons seuls dans la caverne. Tout ce que nous vous demandons, c'est de nous montrer la route.

Fa-Glin plissa les yeux.

— Pénétrer seuls dans la caverne au trésor ? Pour que vous vous empariez de nos richesses ? Oh que non ! Il n'en est pas question !

— Cela dit, intervint Gla-Thon tandis que Lief ravalait la réponse cinglante qui lui montait aux lèvres, pourquoi n'irions-nous pas avec vous ? Si le plan échoue, nous le paierons aussi cher que vous. Gellick nous accusera d'avoir favorisé votre fuite.

Lief jeta un coup d'œil à Ri-Nan. Le gnome à la barbe rousse resta muet. Mais ses yeux, sous ses sourcils broussailleux, étaient méfiants et aussi durs que des pierres.

Fa-Glin croisa les bras.

— Très bien. Nous entrerons tous les six dans la caverne. Gellick mourra... ou nous perdrons la vie. (Il observa les cages, son visage ridé transformé en un masque de honte et de dégoût.) Si nous réussissons, nous pourrons débarrasser nos grottes de ces immondices. Si nous échouons... eh bien, du moins n'aurai-je plus à les voir. En ce qui me concerne, je suis heureux de courir le risque.

16

In extremis

Peu après, Lief, Barda et Jasmine suivaient les trois gnomes qui se faufilaient dans un labyrinthe de tunnels, se rapprochant d'instant en instant du cœur des Montagnes Redoutables. Ils avaient obligé Prin à demeurer auprès de Kree et de Filli, avec ordre pour elle de tenter l'impossible afin de s'enfuir avec eux s'ils ne revenaient pas.

Ils avaient laissé leurs sacs et leurs boucliers. Ils ne portaient plus que l'essentiel : leurs armes, leurs gourdes et le reste des ampoules.

Ils prévoyaient de tuer Gellick avec le poison des Gardes Gris. Pas un d'entre eux n'avait le moindre scrupule à l'idée de frapper le monstre dans son sommeil. Le crapaud ne méritait pas qu'ils l'affrontent en un combat loyal. Ils n'avaient qu'un souci – ne pas le réveiller en s'approchant suffisamment de lui pour bien ajuster leur tir.

Les gnomes ralentirent l'allure et se firent plus silencieux. Bientôt, l'immense entrée de la caverne apparut. Même de loin, on apercevait une lueur irrisée au-delà, là où les torches projetaient des lumières dansantes sur le trésor.

À pas de loup, ils se coulèrent jusqu'à l'ouverture et lorgnèrent à l'intérieur. Le monstre était tapi parmi les monceaux de joyaux et d'or, dans l'exacte position où les compagnons l'avaient vu en rêve. Ses yeux étaient clos. Seules une lente pulsation à sa gorge et les rigoles de bave qui suintaient de sa peau indiquaient que ce n'était pas une titanesque et hideuse statue, la création d'un esprit dément, adorateur de la laideur et du mal.

Les compagnons s'avancèrent. Cette fois, ce furent les gnomes qui fermèrent la marche, restant à distance prudente. Ils escaladèrent le trésor, surveillant leurs pieds, concentrés sur la nécessité de ne faire aucun bruit tandis que les pièces et les joyaux roulaient sous leurs bottes comme des cailloux.

Ils progressèrent pas à pas. Le crapaud n'avait pas bougé. Lief inspira à fond et étreignit l'ampoule dans sa paume. C'était le moment ou jamais de montrer ses talents de tireur. Encore un pas, un autre...

— Grand Gellick, prends garde !

Le cri fit voler le silence en éclats. Lief pivota. Ri-Nan le dépassa comme une flèche, trébuchant dans sa hâte sur le trésor, agitant les bras.

— Je suis venu t'avertir, ô grand Gellick ! braillat-t-il. Trahison !

— Feu ! rugit Barda.

Lief lança l'ampoule de toutes ses forces. Ce fut le lancer de sa vie. Il hurla de triomphe quand elle atteignit le monstre en pleine gorge. Au même instant, celles de Barda et de Jasmine éclatèrent sur son poitrail. Lief envoya la seconde, et cria encore quand il la vit exploser à côté de la première, s'attendant à voir Gellick être pris de convulsions et s'effondrer.

Mais rien de tel n'arriva. La créature ne cilla pas. Paresseusement, sa langue darda et lécha le poison qui coulait sur sa peau. Le crapaud étira sa gueule immense en un sourire moqueur.

— Quelles sont ces stupides créatures qui m'attaquent avec mon propre venin ? s'écria-t-il d'une voix râpeuse.

Abasourdis, Lief, Barda et Jasmine reculèrent en chancelant et pivotèrent vers Gla-Thon et Fa-Glin qui étaient cloués sur place.

— Mais... c'est pour leur usage que les gnomes recueillent la bave de Gellick ! s'exclama Jasmine. Comment se fait-il qu'il y en ait dans les ampoules ? Comment...

— Nous n'en gardons qu'une infime partie, marmotta Gla-Thon, les lèvres crispées sous l'effet de la peur. Nous déposons le reste à chaque pleine lune au bord de la route. Cela faisait partie du marché. Nous ignorions que...

— RI-NAN, rugit Gellick. RÉPONDS-MOI. QUI SONT CES GENS ?

— Les intrus, ô grand Gellick ! bafouilla Ri-Nan. (Il pointa l'index sur Gla-Thon et Fa-Glin.) Et voilà les traîtres qui les ont délivrés et aidés à venir jusqu'à toi. Tue-les ! Moi, ton fidèle serviteur, je suis capable de faire travailler les gnomes plus durement que ne le pourrait jamais le sénile Fa-Glin. Je devrais être le chef. Moi, Ri-Nan, je mérite ta...

Il s'interrompit net quand les yeux terribles de Gellick se portèrent sur lui.

— Profitons de ce qu'il ne nous regarde pas pour nous cacher sous... commença Barda.

— TU *MÉRITES*, DIS-TU, RI-NAN ? rugit le monstre. TU OSES ME DONNER DES ORDRES... À MOI ? TIENS, VOICI CE QUE TU MÉRITES, VERMISSEAU !

Il cracha et Ri-Nan s'écroula, hurlant, roulant et se contorsionnant parmi les tas d'or. La langue du crapaud darda de satisfaction. Puis le monstre se tourna avec lenteur...

— Ah, siffla-t-il, constatant la disparition des compagnons, vous cherchez à vous soustraire à ma vue, vers de terre ? Vous vous enfouissez sous mes babioles, tremblant devant ma colère ? C'est bien.

Il leva un pied colossal, frappa le sol avec un bruit de tonnerre et sa voix enfla jusqu'à devenir un rugissement assourdissant.

— JE SUIS LE GRAND GELLICK ! LE SEIGNEUR DES TÉNÈBRES LUI-MÊME ME TIENT EN HAUTE ESTIME. C'EST GRÂCE À MON VENIN QU'IL VAINC SES ENNEMIS !

L'atroce beuglement faisait vibrer la caverne. Caché sous une masse scintillante de pièces et de bijoux, pouvant à peine respirer, Lief l'écoutait, terrorisé. Barda et Jasmine n'étaient sans doute pas loin ; mais il n'osait remuer un cil ni parler.

— IL M'A DONNÉ CES MONTAGNES, poursuivit le crapaud, ET UNE RACE D'ESCLAVES POUR ME SERVIR. IL SAIT QUE JE NE LUI FERAI PAS DÉFAUT. IL ME FAIT CONFIANCE POUR VOUS TUER, VERS DE TERRE ! IL ME FAIT CONFIANCE POUR GARDER LA PIERRE QUE JE PORTE AU FRONT. D'AUTRES LUI ONT PEUT-ÊTRE MANQUÉ DE PAROLE. MAIS PAS MOI !

Les pensées de Lief se bousculaient dans sa tête. La bête les attendait. Elle savait qu'ils étaient venus chercher l'émeraude. À l'instant où ils lèveraient le bout du nez, à l'instant où ils esquisseraient un geste pour fuir ou pour l'attaquer, elle les tuerait.

Elle s'était tue, à présent. Elle les guettait, à l'affût du plus léger mouvement. Un long moment s'écoula.

Enfin, elle reprit la parole d'une voix rauque et moqueuse.

— Je sais où vous êtes. Il me suffit de patienter, vers de terre. Vous finirez bien par sortir de votre trou. Sauf que, à la réflexion, je ne patienterai pas. Je vais vous réduire en bouillie là où vous vous terrez.

L'or et les joyaux tintèrent quand Gellick les écarta. Il se mit à ramper vers les compagnons, soulevant sa masse énorme sur ses gigantesques pieds griffus. Plus près. Plus près...

— Quel plaisir j'aurai à vous écraser sous mon poids et à entendre vos hurlements d'effroi, vers de terre ! siffla-t-il. Quel plaisir j'aurai à offrir aux mouches cette bouillie sanglante.

Lief était parfaitement immobile. Son épée à la main, il se rendit compte, légèrement surpris, qu'il était très calme. Il avait décidé d'attendre jusqu'au dernier moment, puis de bondir et de transpercer le ventre de la bête, en dépit de ce qu'avaient dit les gnomes. Cela signerait son arrêt de mort. Qu'importe ! De toute façon, il allait mourir.

Le monstre était proche, à présent. Si proche qu'à travers les interstices entre les bijoux Lief distinguait son ombre. La Ceinture de Deltora lui brûlait la taille. Elle percevait la présence de l'émeraude – l'émeraude qui ne brillerait plus, son éclat à jamais terni à cause de la malveillance du crapaud.

Était-ce le moment de se ruer hors de sa cachette, d'accomplir son ultime geste de défi ? Non. Pas encore. Mais bientôt. Jasmine et Barda se trouvaient quelque part derrière lui, avec les deux gnomes. Mais comment en être sûr ? Il craignait plus que tout d'entendre leurs cris d'angoisse avant que lui-même ne se soit réfugié dans la mort. De ne pas pouvoir faire face.

Puis il pensa à Kree, à Filli et à Prin. Il espéra que les gnomes les laisseraient partir. Qu'ils quitteraient sans encombre les Montagnes Redoutables. Que Kree et Filli retourneraient dans les Forêts du Silence, et Prin parmi les Kin. Prin, si semblable au compagnon de son enfance venu à la vie.

Il esquissa un sourire en se rappelant la première fois où il l'avait vue se désaltérer à la Source des Songes.

Bois, aimable étranger, et sois le bienvenu. Créatures du mal, prenez garde.

Et soudain, il eut l'impression d'avoir été frappé par la foudre. Un bref instant, tout parut se figer. Puis il porta la main à la Ceinture.

Les pièces et les joyaux au-dessus de lui furent balayés comme fétus de paille.

— JE TE VOIS, VER DE TERRE !

Le monstre le surplombait, sa grosse tête presque à ras du sol, ses yeux luisant de triomphe et d'envie. Mais déjà Lief avait tiré sa gourde et en avait ôté le bouchon. Et avant que le crapaud n'ait l'occasion de déverser encore son fiel, il la lança, pleine à ras bord qu'elle était de l'eau de la Source des Songes, droit dans la gueule béante, jusqu'au fond de la gorge.

Il se hissa sur les genoux tandis que Gellick déglutissait. Le crapaud géant siffla.

— TOI... s'étrangla-t-il.

Puis il fut secoué de spasmes violents et ses yeux se révulsèrent. Il tenta de bouger. En vain. D'épaisses racines tortueuses rivaient ses pieds à la colline d'or et de joyaux. Il hurla. Hurla encore alors que son corps enflé pulsait et se métamorphosait. Cria et cria quand son énorme cou hérissé de piquants commença à s'étirer vers le ciel.

Terrifié, Lief voulut s'éloigner. Mais il était tétanisé. Il sentit que Jasmine et Barda étaient près de lui et, dans sa frayeur, il ne put que leur agripper les mains. La caverne tout entière semblait étinceler et s'assombrir, et pendant ce qui lui parut une éternité, il pensa que les soubresauts de la créature monstrueuse ne cesseraient jamais.

Puis tout s'apaisa. À l'endroit où Gellick s'était tenu tapi, se dressait un arbre gigantesque, au tronc droit qui portait trois branches garnies de feuilles pâles. Ses plus hautes branches frôlaient le plafond de la caverne au trésor. Et comme Lief levait la tête, quelque chose en tomba et se nicha au creux de sa paume.

C'était l'émeraude. Non plus terne, mais d'un vert profond, étincelant.

Fa-Glin et Gla-Thon regardaient de tous leurs yeux. Pourtant, Lief n'hésita pas une seconde. La Ceinture de Deltora scintilla de mille feux quand il y glissa la cinquième pierre précieuse.

17

Les adieux

Ce fut jour de fête chez les Gnomes Redoutables. La caverne au trésor grouillait de petits êtres qui contemplaient avec un respect mêlé de crainte l'arbre qui s'élevait désormais en son centre. On avait ouvert les portes des garde-manger et tous festoyaient. On combla les compagnons de remerciements et de louanges et chacun raconta la défaite de Gellick.

— Je craignais le pire, dit, pour la dixième fois, Fa-Glin à la foule. Je croyais notre dernière heure venue. C'est alors que Lief de Del a fait usage de sa puissante magie et la situation s'est renversée en un instant.

Et, pour la dixième fois, la foule frissonna de peur et d'admiration.

Lief se sentait mal à l'aise. À écouter Fa-Glin, Lief avait prévu dès le début de lancer sa gourde et s'était contenté d'attendre le moment opportun. Or son geste était né d'une impulsion, d'une intuition subite qui avait jailli dans son esprit quand tout paraissait perdu.

Mais il se tut. Le conseil que lui chuchota Barda était plein de sagesse :

— Laisse-les croire que nous sommes capables d'accomplir des prodiges. C'est un peuple belliqueux et défiant. Un de ces jours, nous aurons besoin de leur loyauté et de leur confiance si nous voulons qu'ils nous écoutent.

En vérité, ce moment survint plus tôt qu'ils ne l'imaginaient. Alors qu'ils festoyaient, un glousse-ment strident retentit. Puis il y eut un bruit de pas précipités.

— Des Kin ! brailla une voix. Pen-Fel et Za-Van en ont repéré toute une escouade. Le ciel en est noir !

En un clin d'œil, les gnomes saisirent leurs arcs et leurs flèches et se ruèrent vers la porte.

— Non !

Lief, Barda et Jasmine avaient crié à pleins poumons. Leurs voix résonnèrent dans la salle tel le tonnerre.

Les gnomes se figèrent.

— N'avez-vous donc rien appris ? s'écria Lief tandis que Prin, terrorisée, s'agrippait à lui. Ne voyez-vous pas que les Kin doivent être vos alliés dans ces

146

Montagnes ? Souhaitez-vous que les arbres Boolong prolifèrent au point que les rivières soient engorgées d'épines ? Si je ne me trompe, les Kin viennent sauver leur enfant. Vous devriez vous réjouir et les supplier de rester ! Vous devriez les accueillir à bras ouverts, et non pas chercher à les tuer !

Il y eut un long silence, puis Fa-Glin hocha la tête.

— Notre ami a raison. (À regret, il caressa sa vieille veste en peau de Kin et, après l'avoir ôtée, la jeta à terre.) Dommage. Mais nos tisserands sont capables de faire de beaux vêtements, eux aussi, murmura-t-il. (Puis il éleva de nouveau la voix.) Rangeons nos armes, gnomes. Allons accueillir les Kin en toute amitié et saluer leur retour dans leur foyer.

Le surlendemain, au lever du soleil, un groupe singulier descendit le sentier des gnomes jusqu'au pied des Montagnes. Prin cheminait à côté de Lief, de Barda et de Jasmine. Ailsa, Merin et Bruna les suivaient. Fa-Glin et Gla-Thon fermaient la marche.

Ils n'étaient guère bavards. Tous avaient le cœur lourd à la perspective de se quitter. Quand ils atteignirent la route, non loin de l'endroit où un pont enjambait la rivière, ils s'arrêtèrent et se regardèrent.

Ailsa effleura le front des voyageurs.

— Nous vous remercions et penserons à vous chaque jour, murmura-t-elle. Grâce à vous, nous sommes de retour dans notre foyer et Petite... je veux dire Prin est de nouveau avec nous.

Merin sourit quand Bruna et elle firent à leur tour leurs adieux aux compagnons.

— Ainsi qu'elle nous l'a dit et répété, Prin a trop grandi et mûri au cours de ces derniers jours pour qu'on l'appelle encore Petite. Et à présent que nous avons retrouvé nos Montagnes, des jeunes naîtront de nouveau et elle ne sera plus notre benjamine.

Elle s'écarta. Fa-Glin s'avança et s'inclina très bas.

— Les Gnomes Redoutables vous remercient, eux aussi, déclara-t-il d'un ton bourru.

Gla-Thon lui passa une petite boîte sculptée en écorce de Boolong qu'il tendit à Lief.

Le garçon l'ouvrit. Elle renfermait une pointe de flèche en or.

— Notre dette envers vous est immense, reprit Fa-Glin. Si jamais vous avez besoin de nous, nous vous serons fidèles jusqu'à la mort. Ce présent est un gage de notre serment.

Lief s'inclina à son tour.

— Merci. Et vous suivrez notre plan... ?

— N'en doutez pas. (Fa-Glin sourit et ses dents étincelèrent à travers sa barbe blanche.) À la prochaine pleine lune, et à chaque pleine lune dorénavant, nous déposerons les bocaux à l'endroit habituel.

Mais ils ne contiendront pas de poison, même si le liquide aura l'air identique. À mon sens, de l'eau de la rivière mélangée à de la sève de Boolong fera parfaitement l'affaire. Nous avons décidé que les Kin et les gnomes prépareraient ensemble la mixture.

— Et nous mettrons sous clé nos dernières réserves de bave de Gellick, ajouta Gla-Thon. De sorte que quand l'Ennemi comprendra enfin que nous le bernons et viendra dans nos Montagnes, nous serons prêts. Alors, et alors seulement, nous enduirons de nouveau nos flèches de poison.

— Nous espérons... (Barda hésita, puis reprit avec circonspection :) ... nous espérons que l'Ennemi n'envahira pas vos Montagnes. Il se peut qu'il ait d'autres chats à fouetter d'ici là.

Les Kin se regardèrent, perplexes. Mais Fa-Glin et Gla-Thon hochèrent la tête, les yeux brillants. Ils avaient juré de ne jamais souffler mot à quiconque de la pierre qui était tombée dans la paume de Lief, ni de ce qu'il en avait fait. Ils ne l'avaient pas interrogé à propos de la Ceinture étincelante, cloutée de gemmes, où s'était ajustée l'émeraude, ni à propos des deux médaillons qui luisaient d'un éclat sans vie. Peut-être, au fond, aurait-ce été inutile. Peut-être connaissaient-ils, ou pressentaient-ils, la vérité, car les Gnomes Redoutables étaient un peuple très ancien, dont les souvenirs remontaient à des temps très reculés.

Prin effleura l'épaule de Lief.

— Où vas-tu, maintenant, Lief ?

Il contempla, au-delà du pont, la rivière qui sinuait parmi les arbres bruissants, puis, plus loin encore, l'endroit où les premiers rayons du soleil miroitaient sur une étendue liquide plus vaste : le fleuve qui les emmènerait vers la grande mer et le lieu interdit qui était leur prochaine destination.

— Je n'ai pas le droit de te le dire, Prin, répliqua-t-il doucement. Mais c'est à des lieues et à des lieues d'ici.

— Pourquoi pars-tu, au fait ? Et pourquoi déjà ? insista-t-elle.

Dans sa détresse, elle redevenait la Prin puérile de leur première rencontre.

— Parce que je le dois. Et que le temps presse. Nous devons achever notre voyage au plus vite. À la maison, il y a des gens qui... qui m'attendent.

Et tandis qu'il se tournait pour croiser le regard de Prin et prononcer le plus douloureux des adieux, il pria pour que leur attente ne s'éternise pas.

Table

Retrouve vite
Lief, Barda et Jasmine
dans le tome 6 de

LA QUÊTE DE DELTORA

Le Labyrinthe de la Bête

Cet ouvrage a été composé par
PCA - 44400 REZÉ

IMPRIMÉ EN FRANCE PAR BUSSIÈRE
Saint-Amand-Montrond (Cher)

Dépôt légal : juin 2008.
N° d'impression : 081787/1.

Éditions
■ SCHOLASTIC

604, rue King Ouest
Toronto (Ontario) M5V 1E1 CANADA